TOXISCHE POMMES

EIN SCHÖNES AUSLÄNDER KIND

Roman

Paul Zsolnay Verlag

Mit freundlicher Unterstützung der Kulturabteilung
der Stadt Wien, Literatur und Wissenschaft

7. Auflage 2024

ISBN 978-3-552-07396-8

Satz: Nele Steinborn, Wien
Autorinnenfoto: © Muhassad Al-Ani
Umschlag: Anzinger und Rasp, München
Motiv: © Muhassad Al-Ani
Druck und Bindung: GGP Media GmbH, Pößneck
Printed in Germany

Za mamu i tatu

Liebe ist ein Teller voll frisch geschnittenem Obst.

PROLOG

An einem schwülen Freitagnachmittag beschloss ich, unter meinem Schreibtisch ein Bett zu bauen. Mein Chef war in einer Besprechung, und die Kollegin, mit der ich das Büro teilte, hatte sich den Tag frei genommen. Ich war müder als sonst – vermutlich lag das an dem Burger, den ich in der Mittagspause verschlungen hatte (freitags war in der Kantine Burgertag). Während ich versuchte, so weit wie möglich in das verpixelte Foto zu zoomen, um herauszufinden, ob die inserierte *Prada*-Tasche auf *willhaben.at* auch wirklich echt war, nickte ich fast ein.

Das fettige Rindfleisch in meinem Magen ließ mich an keinen vernünftigen Grund denken, warum ich den Raum unter meinem Bürotisch nicht endlich für etwas Sinnvolles nutzen sollte. Ich fing daher an, zwischen Staubkugeln und Computerkabeln auf dem Parkettboden einen Kopfpolster aus gelben Kodizes[1] und Papierzetteln zu bauen. Davon stapelten sich in meinem Zimmer mehr als genug – um den Anschein der Vollbeschäftigung zu vermitteln, druckte ich in regelmäßigen Abständen willkürlich ausgewählte Dokumente aus, die ich dann nie wieder anschaute. Ich glitt von meinem Bürosessel und kauerte mich unter den Tisch in mein improvisiertes Bett.

Ich musste etwas an meinem Leben ändern.

1 Plural von »Kodex«, einer beliebten Gesetzessammlung in einem gelben Buchumschlag.

Ich war Vertragsbedienstete in einer Behörde, die offenbar wichtig genug war, um in einem schönen Altbaugebäude in der Wiener Innenstadt untergebracht zu sein. Man betrat das Foyer durch ein großes hellblaues Eisentor, das zwei imposante griechische Säulen flankierten. Dort wurde man von einem lebensmüden Portier empfangen, den man mit einem selbstbewussten »Mahlzeit« (idealerweise im Wiener Dialekt ausgesprochen) davon abhalten konnte, lästige Fragen zu stellen. Ich war mir sicher, dass man es mit diesem Losungswort sogar bis ins Büro des österreichischen Bundespräsidenten schaffen konnte.

Das Foyer führte in ein marmornes Stiegenhaus, in dessen Mitte sich ein hölzerner Lift befand, der mehr an einen mittelalterlichen Folterkäfig als an einen Fahrstuhl erinnerte. Er hatte beide Weltkriege überlebt und blieb mehrmals am Tag stecken, was jedoch keinen der tüchtigen Beamten davon abhielt, ihn für jeden Amtsweg zu nutzen, der ein Stockwerk überstieg. Vom Erdgeschoss kam man zuerst in den ersten Halbstock, dann in den zweiten Halbstock, dann ins Zwischengeschoss, dann ins Mezzanin, bis man endlich im ersten Stock landete, wo sich mein Büro befand.

Was man im Foyer an Kosten nicht gescheut hatte, wurde bei den Zimmern der Beamten wieder eingespart. In der Mitte des kahlen Raumes befanden sich zwei Bürotische, die so positioniert waren, dass man einander gegenübersaß, während man acht Stunden am Tag um die Wette daran arbeitete, sein Leben wegzuschmeißen. Die Wände zierten lediglich ein paar leere senfgelbe Pinnwände und eine Uhr, die 47 Minuten vorging und so weit oben aufgehängt war, dass man eine Leiter gebraucht hätte, um sie richtig einzustellen. Die gab es jedoch nur beim technischen Dienst, den man wiederum nur im Wege eines Anforderungsscheins rufen konnte, der zuerst wochen- und monatelang durch mehrere Hierarchien gehen musste, um letztendlich bewilligt zu werden.

Darauf hatte natürlich niemand Lust, und so ließ ich mich lieber jeden Tag von der Wanduhr enttäuschen, die mir vorgaukelte, meine Arbeitszeit wäre bereits um.

Meine Zimmerkollegin war Mitte zwanzig, hatte eine zarte Stimme und eine feine schwarze Hornbrille aus der *Brillenmanufaktur*, wie sie gerne betonte. Sie wirkte stets bestens gelaunt. Obwohl wir ähnliche Aufgabenbereiche hatten, war sie jeden Morgen vor mir im Büro und ging jeden Abend nach mir. Sie schien offenbar genug zu tun zu haben, um mit ihren kleinen kräftigen Fingern von früh bis spät freudig-munter in die Tastatur zu tippen, während ich mich durch jeden Tag quälte, bis ich endlich pünktlich um 17:00 Uhr (oder eher 17:47 Uhr) am Schalter ausstechen konnte.

Meine restlichen Kollegen sah ich in der Regel zweimal am Tag: einmal um 12 Uhr zum gemeinsamen Mittagessen im Besprechungszimmer und einmal um 10:30 Uhr, wenn sie gegenseitig an ihre Türen klopften, um zu fragen, wer am gemeinsamen Mittagessen teilnehmen würde. Der wesentliche Zweck dieser Zusammenkünfte bestand darin, die Speisen des jeweils anderen zu bewerten: Selbstgekochtes wurde hoch gelobt, sofern es Safran-Sauce oder ähnlich hochwertige Zutaten enthielt. Alles, was in zu viel Plastik verpackt oder nicht zumindest von *Ja! Natürlich* war, wurde kritisch beäugt. Wer sich nur ein kleines Weckerl vom Supermarkt geholt hatte, erntete hingegen ehrfürchtige Blicke. Zu groß war der Respekt (und die Angst) vor den Beamten, denen vor lauter Arbeit nicht einmal die Zeit für ein ordentliches Mittagessen blieb. Sie gehörten zu den wenigen, welche die Behörde am Leben erhielten, und waren der Grund, warum den anderen ausreichend Zeit blieb, um nach einer ausgiebigen Mittagspause wieder an ihre Arbeitsplätze zurückzukehren und auf *Facebook* Familienfotos zu sortieren.

Nicht nur meine Zimmerkollegin, auch alle anderen Mitarbeiter waren sehr nett: Montags fragten sie, wie man das Wochenende verbracht hatte, und freitags, was man am Wochenende vorhatte. Wer nach einem längeren Krankenstand wieder ins Büro kam, wurde mit freudigen Willkommensgrüßen empfangen und liebevoll nach seinem gesundheitlichen Zustand ausgefragt. Das war natürlich ein bisschen unangenehm, wenn man seinen Krankenstand nur vorgetäuscht hatte, doch auch nicht weiter schlimm, denn mit dem Konzept des E-Card-Urlaubs war hier jeder bestens vertraut. Immer wieder stellte jemand einen Marmorkuchen oder eine Packung *Merci* zur freien Entnahme in die Gemeinschaftsküche, und es gab eine große Auswahl an bunten Tassen mit lustigen und frechen Sprüchen. Vorsicht war allerdings bei einer großen schwarzen Tasse mit der Aufschrift »Bevor ich mich jetzt aufrege, ist es mir lieber egal« geboten. Sie gehörte der Chefassistentin. Wer dabei erwischt wurde, seinen Morgenkaffee aus dieser Tasse zu trinken, und sei es aus Versehen, wurde den restlichen Tag über mit kleinen passiv-aggressiven Vergeltungsakten bestraft.

Meine Tage begannen für gewöhnlich mit einer ausgiebigen Internetsuche nach Designertaschen und anderen gebrauchten Gegenständen, die ich nicht benötigte. Dies hielt mich jedoch nie davon ab, die Verkaufspreise endlos herunterzuhandeln, nur um dann irgendwann einmal nicht mehr auf die Nachfragen der Inserenten zu reagieren. Zwischen diesen Nachrichten steuerte ich immer wieder zur Toilette am Ende des Gangs, um mir eine kleine Pause von den anstrengenden Verhandlungsrunden zu gönnen. Die Toiletten waren immerhin die spannendsten Orte im Haus: Nicht nur traf ich dort hin und wieder auf die einzigen anderen migrantischen Mitarbeiter auf meinem Stockwerk. Am Klo starrte ich auch gerne so lange auf die schriftlichen Anleitungen an der Wand, die in fünfzehn verschiedenen Sprachen erklärten, wie man die Toiletten korrekt benutzt, bis jeder einzelne Tropfen Wasser aus mir draußen war, den ich zuvor aus Langeweile zu mir genommen hatte.

Besonders schlimm waren die Sommertage. Nicht nur, weil sich das Bürozimmer auf ungefähr fünfzig Grad Celsius erhitzte, sondern auch, weil mir an diesen Tagen am deutlichsten bewusstwurde, wie sehr ich diesen Job hasste. Während ich mir vorstellte, wie andere in der Alten Donau schwammen, sich auf dem Steg sonnten, ein *Brickerl* von der Imbissbude aßen und unvergessliche Erinnerungen mit ihren Freunden schufen, saß ich auf einem unbequemen grauen Bürosessel, der die stillen Fürze unzähliger Beamter konserviert hatte, die hier vor meiner Zeit an ihrem Bandscheibenvorfall gearbeitet hatten.

A hyperrealistic photograph of a taxidermied baby lamb staring into the void

Ich weiß nicht, wie ich an diesen Punkt gekommen war. Ich hatte doch immer alles richtiggemacht.

Ich hatte meinen Teil des Integrationsversprechens eingehalten. Ich hatte den Ausländer in mir erfolgreich wegintegriert. Ich war weiß, christlich und aß gerne Schweinefleisch. Ich hatte immer nur gelernt oder gearbeitet, war nie krank gewesen, hatte ein Semester unter Mindestzeit studiert, einen Doktortitel und Schlafprobleme, seit ich fünfzehn war. Ich war nie viel fortgegangen, hatte nie einen Freund mit nach Hause genommen oder andere Schwierigkeiten gemacht. Während meine Schulkameraden ihre Nachmittage im Park mit Dosenbier und selbstgerollten Zigaretten verbracht hatten, war ich lieber zu Hause geblieben, um über meinen Schulbüchern zu brüten. Die einzige Abwechslung war das tägliche

Schwimmtraining im Hallenbad gewesen; für Olympia hatte es zwar nie gereicht, dafür aber zumindest für die österreichischen Staatsmeisterschaften.

Ich hatte immer die richtigen Entscheidungen getroffen. Ich hatte Schulen besucht, in denen ich das einzige Ausländerkind gewesen war. Ich hatte sogar Rechtswissenschaften studiert, das ideale Studium für leidenschaftslose Menschen, die sich in ihrem Leben nichts verbauen wollten. Ich hatte eine Mitgliedskarte für das Fitnesscenter, trug helle Blusen und lackierte meine Fingernägel in sanften Pastelltönen. Ich beteiligte mich zwar an Wahlen, doch weil ich so beschäftigt war, vergaß ich manchmal auch einfach hinzugehen. Das machte aber nichts, ich hatte sowieso gelernt, mich über nichts aufzuregen und nichts zu verlangen. Lieber zahlte ich in Frieden meine Steuern und hatte einfach keine Meinung. Außerdem wollte ich meine Zeit nutzen, um zu beweisen, dass ich es auch wirklich verdient hatte, in Österreich zu leben.

Und das hatte ich. Ich hatte es geschafft. Ich hatte alles erreicht, wofür meine Eltern und ich ein Leben lang hart gearbeitet hatten. Ich war perfekt. Ich war Vertragsbedienstete in einer angesehenen Behörde im ersten Wiener Gemeindebezirk. Und einen besseren Arbeitgeber als den österreichischen Staat konnte man sich nicht vorstellen: ein sicherer Job, auch in unsicheren Zeiten, feste Gehaltsstufen und klare Hierarchien. Ich hatte genug Geld, um mir gebrauchte Designertaschen zu kaufen und in Therapie zu gehen, wo ich jede Woche von einem anderen Problem erzählen konnte, das mich eigentlich kaum beschäftigte. Und trotz alledem fühlte ich mich innerlich tot.

Wenige Wochen nach meinem Bettenbauprojekt unter dem Tisch endete mein Arbeitsverhältnis. Irgendwie war auch zu meinem Chef durchgedrungen, dass ich in Wirklichkeit nicht arbeitete. Wir einigten uns auf eine einvernehmliche Kündigung.

Teil 1

PUTZAM I ČEKAM
PUTZEN UND WARTEN

Velika Srbija (Großserbien)

»Ubit ću sve što nije hrvatsko« (»Ich werde alles umbringen, was nicht kroatisch ist«), zischte Ante meiner Mutter ins Ohr. Sein Atem roch nach Schnaps. Ante war unser Nachbar, er wohnte auch im zwanzigsten Stock, gleich neben uns. Als er sich meiner Mutter zuwandte und sie mit seinen blauen Augen fixierte, fiel ihr zum ersten Mal auf, wie groß er war. Sie senkte den Kopf und versuchte sich so weit von ihm zu entfernen, wie es der begrenzte Raum im Aufzug erlaubte. Während sie sich in die Ecke nächst der geschlossenen Tür drängte, presste sie mich fester an ihre Brust, schloss die Augen und betete, dass wir bald ankamen. Der Aufzug blieb zum Glück unerwartet im achten Stock stehen. Eine andere Nachbarin hatte die Ruftaste gedrückt, weil sie ins Erdgeschoss wollte. Sie war Kroatin, meine Mutter hatte sich öfter mit ihr im Stiegenhaus unterhalten. Sie stürzte an ihr vorbei aus dem Lift, bevor sie in Tränen ausbrach.

Wir waren gerade von unserem täglichen Spaziergang zurückgekehrt. Jeden Nachmittag legte mich meine Mutter in den pastellrosa Kinderwagen und machte sich mit mir gemeinsam auf den Weg zum Hafen. Der Wagen war ein Geschenk meiner Taufpaten gewesen, sie hatten ihn meinen Eltern aus Triest mitgebracht, als ich auf die Welt gekommen war. Auch heute noch strahlt der goldene Aufkleber mit der Aufschrift *Made in Italy* stolz auf dem ausgebleichten Kinderwagensitz am Dachboden meiner Taufpatin. Triest liegt zwar nur einen Katzensprung entfernt von Rijeka, doch wenig konnte ein Geschenk damals so aufwerten wie dieser Schriftzug.

Am Hafen sank ich meistens von der salzigen Meeresbrise (oder vom Schiffsdiesel) betäubt in einen tiefen Schlaf. Doch manchmal wollte ich meiner Mutter nicht einmal diese kurze Verschnaufpause gönnen, sondern ließ mich lieber von ihr in meinem italienischen Kinderwagen herumchauffieren. Wie ein kleiner Herrscher in einer Sänfte zeigte ich mit meinem rosigen Finger auf alles, was sich bewegte. Ich liebte diesen Zaubertrick, denn immer, wenn ich auf etwas deutete, bekamen die Dinge plötzlich einen Namen: »Brod! Galeb! Puška!« (»Schiff! Möwe! Gewehr!«), rief dann meine Mutter. Die Begeisterung in ihrer Stimme war so groß, als würde auch sie gerade zum ersten Mal hören, wie schön diese Wörter klingen.

Manchmal blies der Wind in Rijeka so, dass man in weiter Ferne noch das leise Regnen von Gewehrschüssen hören konnte. Dann begann meine Mutter ganz sanft (und ganz falsch[1]) zu singen:

1 Meine Mutter ist das mit Abstand unmusikalischste und am wenigsten an Musik interessierte Mitglied meiner Familie, was mein Vater und ich schon immer irrsinnig lustig fanden. Jedes Mal, wenn ein Lied im Radio lief, fragten wir sie: »Ko to peva?« (»Wer singt das?«) Worauf sie immer mit »Jesu li to Bitlsi?« (»Sind das die Beatles?«) antwortete.

Sve ptičice iz gore, sve ptičice iz gore,
spustile se na more.
Samo jedna ostala, samo jedna ostala,
koja nam je pjevala,
o nesretnoj ljubavi.[2]
Kroatisches Volkslied

Ich hatte gerade meinen zweiten Geburtstag gefeiert. Von diesem Moment gibt es eine Aufnahme in einem der zahlreichen Fotoalben meiner Mutter: Darauf zu sehen bin ich, am Tischende vor einer kleinen Torte sitzend und auf eine blaue Kerze in ihrer Mitte blickend. Ich scheine nicht besonders begeistert von meinem Geschenk zu sein, umso breiter ist das Lächeln meiner Mutter, die neben mir sitzt und gerade in ihre Hände zu klatschen scheint. An meiner rechten Seite erkennbar sind außerdem die zwei Trauzeugen meiner Eltern, Slavica und Zoran. Sie waren die ältesten gemeinsamen Freunde meiner Eltern, mit denen sie unzählige ausgelassene Abende an der Strandpromenade verbracht und bis in die späten Nachtstunden Tränen gelacht hatten.

Nicht lange nachdem dieses Foto entstanden war, warf Slavica meinem Vater bei einem gemeinsamen Abendessen vor, er wäre ein Landesverräter. Er solle sich freiwillig beim kroatischen Militärdienst melden und an die Front gehen, um seine Loyalität zu Kroatien zu beweisen. Andernfalls sei er in diesem Land

2 »Sve ptičice iz gore« ist ein kroatisches Volkslied, das Kindern zum Einschlafen vorgesungen wird. Wie so viele andere Lieder aus der Region, handelt sogar dieses Kinderlied von gebrochenen Herzen und unglücklicher Liebe, damit man auch wirklich und ganz sicher schon von klein auf zur Melancholie neigt. Übersetzung: »Alle Vöglein aus den Bergen stiegen zum Meer herab. Nur ein Vöglein blieb zurück, das für uns gesungen hat, von der unglücklichen Liebe.«

nicht mehr willkommen. »Pa kako ne vidiš da tvoji pokušavaju da naprave Veliku Srbiju? Pogledaj šta su uradili u Vukovaru! A šta u Sarajevu! Šta rade u Kosovu!« (»Siehst du nicht, dass deine Landsleute ein Großserbien wollen? Schau dir mal an, was sie in Vukovar[3] veranstaltet haben! Oder in Sarajevo! Was sie in Kosovo machen!«), fügte Slavica hinzu. In den letzten Jahren hatte sich immer deutlicher abgezeichnet, dass Serbien seine bestehende Vormachtstellung in Jugoslawien noch ausweiten wollte. Nachdem sich vor allem unter Slobodan Milošević großserbische Bestrebungen breitgemacht hatten und es bereits zu Gewaltakten gekommen war, hatten mehrere Teilrepubliken, unter anderem auch Kroatien, ihre Unabhängigkeit von Jugoslawien erklärt. Im Zuge dessen versuchten diverse serbische Truppen (mit Unterstützung der JNA) vor allem die kroatischen Grenzgebiete zu Serbien und Bosnien (Krajna) zu erobern und die dort lebende nichtserbische Bevölkerung gewaltsam zu vertreiben.

Slavica hatte mit einem Schlag alle am Tisch zum Verstummen gebracht. Niemand wusste, was er sagen sollte. Plötzlich stand mein Vater auf, ergriff Slavicas Hand und rief: »Hajde, Slavica, idemo zajedno!« (»Los, Slavica, gehen wir gemeinsam an die Front!«) Seit diesem Abend haben sie nie wieder miteinander gesprochen.

3 Stadt im Osten Kroatiens, die unter anderem von Truppen der Jugoslawischen Volksarmee (JNA) und von serbischen Freischärlern angegriffen und eingenommen worden war. Dabei wurden mehrere tausend kroatische Zivilisten ermordet, verwundet, vergewaltigt, vertrieben oder gefangen genommen. Das Ziel war auch hier die Vertreibung der nichtserbischen Bevölkerung sowie der Anschluss an Serbien.

Auch mit ihrem Nachbarn Ante hatten meine Eltern vor dem Krieg gute nachbarschaftliche Beziehungen gepflegt. Da wir ein Telefon besaßen und er nicht, war er vor dem Kriegsausbruch noch regelmäßig in unsere Wohnung herübergekommen, um mit seiner Familie in Slawonien[4] zu telefonieren. Ante wiederum hatte uns noch vor gar nicht so langer Zeit Nachbarschaftshilfe geleistet, nachdem mein Vater uns alle aus der Wohnung aus- und mich im Auto eingesperrt hatte. Ich war zu dem Zeitpunkt gerade mal drei Tage alt gewesen, mein Vater hatte meine Mutter und mich soeben aus dem Krankenhaus abgeholt. Nachdem er auf dem Parkplatz vor unserem Wohnblock meiner Mutter aus dem Auto geholfen hatte, dürfte er wohl für einen kurzen Augenblick vergessen haben, dass er seit neuestem Vater war. Doch nicht nur seine neugeborene Tochter, auch seinen Schlüsselbund hatte er im Auto liegen gelassen. Das war ihm allerdings erst aufgefallen, nachdem er den Verriegelungsstift nach unten gedrückt und die Tür ins Schloss hatte fallen lassen. Da der offene Balkon der einzige Weg in unsere versperrte Wohnung war, hatte ihm Ante beim waghalsigen Manöver geholfen, aus seiner benachbarten Wohnung heraus über das Geländer auf unseren Balkon im zwanzigsten Stockwerk zu klettern und die Ersatzschlüssel zu holen.

Freunde und Nachbarn waren zu Ethnien und Religionen geworden. Wo noch vor kurzem Fotos von Tito gehangen waren, prangten nun gewaltige Porträts von Franjo Tuđman an der Wand. Auch meine Eltern hatten mittlerweile ihre Jobs verloren, sie waren gekündigt worden, weil sie keine Kroaten waren – sie stammten ursprünglich aus Serbien und aus Montenegro und waren zum Studieren nach Kroatien gezogen. Beide kamen aus einfachen

4 Region im Osten Kroatiens, wo sich ebenfalls ein großer Teil der Kriegshandlungen abspielte.

Verhältnissen, ihre Angehörigen waren ihr Leben lang Fabrikarbeiter gewesen, hatten am Feld oder im Stahlwerk gearbeitet, und sie waren die Ersten in ihren Familien, die ein Studium begonnen hatten. Sie hatten Tür an Tür gelebt, bevor sie schlussendlich in ein Zimmer zusammengezogen waren; vermutlich hatten sie sich bei einem ihrer zahlreichen Lästergespräche über die gemeine Vermieterin, die ständig die Miete erhöhte, ineinander verliebt. Ihre gemeinsame Beziehung hielten sie jedoch jahrelang geheim, genau genommen so lange, bis der Hochzeitstermin am Standesamt endgültig feststand. Meine Mutter stammte nämlich aus einer sehr konservativen Gegend in Montenegro, und mein Vater war ihr erster und letzter Freund gewesen. Auch heute noch schimpft Baba Hajdana[5], ihre Mutter und meine Großmutter, wenn Besuch kommt und ich mit kurzer Sommerhose am Sofa sitze. »Sakrij te noge, stigao ti je ujak! I śedi kao čovjek!« (»Bedeck diese Beine, dein Onkel ist da! Und sitz wie ein Mensch!«), faucht sie dann wild mit ihren Händen fuchtelnd in meine Richtung, bevor sie zum Gaskocher eilt, um frischen Kaffee aufzusetzen.

Meine Eltern glaubten anfangs nicht, dass der Krieg auch nach Rijeka kommen würde – oder wollten es nicht glauben. Wie die Geschichte gezeigt hat, sollten sie zwar auch recht behalten; nachdem sie damals jedoch alle paar Tage mit mir im Arm die Stiegen hinunter in den Keller stürmten, weil wieder einmal Bombenalarm ausgerufen worden war, begannen sie irgendwann, an diesen Annahmen zu zweifeln. Und so wagten sie eines Nachmittags zu überlegen, als sie wieder einmal stundenlang mit den anderen Bewohnern des Wohnblocks im feuchten Keller festsaßen, wie sie am besten das Land verlassen könnten.

5 Baba heißt Oma.

Nach tagelangen Diskussionen blieben am Ende Kosovo, die USA und Österreich als ernsthafte Optionen, die sie für ein neues Zuhause in Erwägung zogen. Nach Serbien oder Montenegro wollten sie nicht: Zu diesem Zeitpunkt war noch unklar, welche Dimensionen der Krieg annehmen würde; doch vor allem befürchteten sie, mein Vater würde dort sofort zum Militär eingezogen werden. Für einen kurzen Moment stand allerdings Kosovo im Raum: Meine Mutter hatte dort sowohl einen Job angeboten bekommen sowie einige nahe Verwandte, die bereit gewesen wären, uns eine Unterkunft zu organisieren. Letztlich haben sich meine Eltern jedoch auch dagegen entschieden – angesichts des damals auch dort nahenden Krieges waren wir im Nachhinein alle recht froh darüber. Auch den Gedanken, in die USA auszuwandern, ließen sie schlussendlich fallen: Meine Mutter wollte nicht, dass sie ein Ozean von ihrer Familie in Montenegro trennte.

Somit blieb nur noch Österreich übrig. Snežana, eine Cousine meiner Mutter, war in den achtziger Jahren dorthin ausgewandert und erzählte immer davon, wie schön Wien und Schönbrunn doch seien. Sie kannte eine österreichische Familie in Wiener Neustadt, einer kleinen Stadt in der Nähe von Wien, die immer wieder Auswanderer und Geflüchtete kostenlos bei sich aufnahm und ihnen Starthilfe in Österreich gab. Im Gegenzug dafür müssten meine Eltern lediglich im Haushalt und bei der Betreuung ihrer zwei Kinder helfen, damit wären sämtliche Wohnkosten abgegolten. Auch Snežana hatte mit ihrem Mann ein paar Jahre bei dieser Familie gelebt, und wir würden ja selbst sehen, wie gut es ihr jetzt in Österreich ging. Sie müsste nur bei ihnen anrufen, und schon könnten wir uns auf den Weg machen. Meine Eltern zögerten nicht lange.

Am Sonntag hatten meine Eltern entschieden, Kroatien zu verlassen, am Donnerstag schlossen sie zum letzten Mal die Wohnungstür hinter sich ab. Sie hatten nur das Nötigste mitgenommen: Reisepässe, Geld, etwas Kleidung, die Fotokamera meines Vaters, mich und sich.

Meine einzige Erinnerung an Kroatien bleibt ein großer, roter Luftballon.

Nachbar in Not

Renate Hell lebte mit ihrem Ehemann und ihren zwei Kindern in einem weiß gestrichenen Einfamilienhaus mit einer großen braunen Eingangstür im Zehnerviertel nahe der Autobahnausfahrt Wiener Neustadt-West.

Jeder in der Nachbarschaft kannte Renate als Frau Doktor Hell. Sollte jemandem irrtümlich der Fehler unterlaufen, Renate nicht mit ihrem korrekten Namen anzusprechen, ermahnte sie denjenigen rasch und erinnerte daran, dass ihr Ehemann Gerhard eine Dissertation über Computer verfasst hatte und an der Fachhochschule Wiener Neustadt Informatik unterrichte. Besonders stolz war Renate auf ihren Sohn Sebastian, der ganz nach dem Vater kam und bereits mit fünf Jahren wusste, wie man einen Computer bedient.[6]

Die Thujen in Renates Garten waren so präzise geschnitten, dass man sich an ihren Kanten vermutlich einen Zahn ausschlagen konnte. Die Sprinkleranlage, welche die ganze Nacht lang kräftig Wasser pumpte, sorgte dafür, dass das Gras auch im trockensten Sommer strahlend grün leuchtete. Der Rasen erinnerte mehr an ein Fußballfeld als an eine Wiese, auf der Familienväter sonntags mit ihren Kindern ein wenig Ball spielten, um für ihre sons-

6 Es waren die 1990er, das Computerzeitalter hatte eben erst begonnen, und die Talentstandards an Kinder waren andere.

tige Abwesenheit aufzukommen. Im grünlichen Sud des kleinen Biotops schwammen das ganze Jahr über dicke rote Goldfische, und an wärmeren Tagen konnte man manchmal sogar die amerikanische Schmuckschildkröte dabei erwischen, wie sie sich am Ufer sonnte.

Renate erzählte gerne, dass die Grundstückspreise im Zehnerviertel die höchsten in ganz Wiener Neustadt waren. Das stimmte zwar so nicht ganz, war aber auch nicht weiter wichtig, denn immerhin lebte die Schwester der Bürgermeisterin nur zwei Häuser weiter. Außerdem war der Fischapark, das größte und beliebteste Einkaufszentrum Wiener Neustadts, das jeden Samstag von einkaufshungrigen Burgenländern überrannt wurde, nur wenige Schritte von Renates Haustür entfernt.

Das Grundstück, auf dem ihr Haus stand, hatte einst Renates Mutter gehört. Diese hatte darauf nicht nur jenes Haus gebaut, in dem Renate und Gerhard nun wohnten, sondern daran angrenzend noch ein zweites, das sie bis zu ihrem Tod selbst bewohnte. Dank einer eingebauten Verbindungstür zwischen den beiden Häusern konnte Renate immer schnell zu ihrer alten Mutter hinübereilen, falls diese etwas von ihr benötigte. Umgekehrt konnte die Mutter zu jeder Tages- und Nachtzeit bei Renate und Gerhard vorbeischauen, wenn es ihr in ihrem großen Haus zu einsam wurde.

Renate rauchte jeden Tag dreißig Zigaretten in einer kleinen Kammer in ihrem Keller. Ich bin mir sicher, dass auch nur wenige Atemzüge in diesem Raum die Wahrscheinlichkeit erhöhten, an einem Lungenkarzinom zu erkranken. In diesem kleinen Kämmerchen konnte man nicht nur schwer atmen, man konnte sich auch kaum bewegen, weil es vorwiegend als Lagerstätte für Feuerholz und Walnüsse genutzt wurde. Umgeben von Holzscheiten, Nussschalen und dicken Rauchschwaden, saß Renate so jeden Tag allein auf einem wackeligen Hocker, während sie auf denselben

Fleck an der vergilbten Wand starrte und sich wünschte, sie wäre jemand anders.

Renate war sich immer schon sicher gewesen, für mehr als für dieses Leben bestimmt zu sein. Sie wollte nach Wien ins Theater, französischen Beaujolais trinken und träumte von einem Ferienhäuschen in der Toskana. Sie wollte einen Swimmingpool, eine südseitig ausgerichtete Terrasse und wichtige Freunde. Sie sehnte sich nach einem Ehemann, der öfter, und nach Kindern, die seltener zu Hause waren.

Noch mehr als ihre türkischen Nachbarn, die unlängst in ihre Gasse gezogen waren und angeblich die Grundstückspreise minderten, hasste Renate ihren Teilzeitjob als Hauptschullehrerin. Jeder wusste, dass diese Hauptschule nur zwei Arten von Schülern beherbergte: Ausländer, deren Deutschkenntnisse – egal ob vorhanden oder nicht – automatisch mit einer Lernbehinderung gleichgesetzt wurden, sowie österreichische Kinder, die das Pech hatten, keine angesehene Familie mit genug Geld hinter sich zu haben, die ihnen dieses Schicksal ersparte.

Renate hatte sich schon immer eine Haushälterin und ein Kindermädchen gewünscht, doch leider ließ ihr der Job an der Hauptschule ausreichend Freizeit, um sich selbst um Haus und Kinder zu kümmern. Gerhard war keine Hilfe, er kam an Wochentagen spät heim und war dann meist auch nicht zu mehr willig, als sich mit einer Flasche Grünem Veltliner auf das weiße Ledersofa von *Leiner* zu setzen, bis er zu den Fernsehklängen von »Knight Rider« oder »Raumschiff Enterprise« sanft zu schnarchen begann. Er konnte nicht verstehen, wozu sie jemanden teuer bezahlen sollten, um die Aufgaben zu übernehmen, für die Renate ohnehin genügend Zeit hatte – das wäre reine Geldverschwendung. Und so blieb es dabei, dass sie weiter die Böden wischte, Schnee schaufelte und mit den Kindern Hausaufgaben löste.

Nach dem Tod ihrer Mutter stand das Nachbarhaus lange Zeit leer. Gerhard und Renate hatten zuerst überlegt, es zu vermieten, doch die Suche nach Mietern hatte sich als schwieriger herausgestellt, als sie erwartet hatten. Nicht nur waren beide Häuser durch die dünne Holztür miteinander verbunden, die Renates Mutter einst so gerne genutzt hatte; die Häuser teilten sich außerdem den großen Garten mit dem Biotop, auf den Renate um keinen Preis verzichten wollte. Für die neuen Nachbarn wäre ein intimes Verhältnis mit Renate und Gerhard somit nur schwer zu vermeiden gewesen.

Fast schon hätten Renate und Gerhard ihren Plan aufgegeben, als Renate einen genialen Einfall hatte: Die Idee war ihr eines Abends gekommen, als sie neben ihrem eingenickten Ehemann die Spät-ZiB verfolgte und der Nachrichtensprecher wieder einmal von den Unruhen in Jugoslawien berichtete, die immer mehr Menschen dazu trieben, ihre Heimat zu verlassen.

Bečki Novi Grad

Wir kamen spätabends in Wiener Neustadt an. In der kühlen Luft lag schon ein herbstlicher Duft, und es nieselte leicht vom graublauen Nachthimmel herab. Die schwachen Straßenlaternen tauchten die einsamen Straßen des Zehnerviertels in einen schaurigen Nebel. Hinter den meisten Fenstern waren die dicken Kunststoffjalousien bereits heruntergelassen, sodass man nicht ins Hausinnere blicken konnte, und hinter den wenigen offenen Fenstern schien kein Licht mehr zu brennen. Die Bewohner schliefen wohl schon tief und fest, und unser Renault 4 dürfte das Einzige gewesen sein, was sie aus ihrem Schlaf reißen könnte. Weit und breit war kein offenes (oder geschlossenes) Restaurant zu sehen, niemand spazierte mit einem Eisbecher vergnügt den Corso entlang, wie es meine Eltern aus Rijeka gewohnt waren. Hier schien es nicht einmal einen Corso[7] zu geben.

Als mein Vater vor Renates Haus eingeparkt und den Motor abgestellt hatte, wurde er von der drückenden Stille ergriffen. Das Einzige, was man in der Ferne hören konnte, war das gespenstische Rauschen der Autobahn, von der wir gerade noch abgefahren waren. Meinen Eltern war es schlagartig unangenehm geworden, in Sprechlautstärke miteinander zu reden, und so beschränkten sie ihre Debatte darüber, ob sie nicht umdrehen und wieder nach Kroatien zurückfahren sollten, auf wenige Worte.

Sie hatten sich ihr neues Zuhause anders vorgestellt. Die Cousine meiner Mutter hatte von Wiener Neustadt immer als »Bečki Novi Grad« erzählt, was auf B/K/M/S[8] übersetzt »Wiener neue Stadt« bedeutet. Meine Eltern hatten schon lange davon geträumt, eines Tages Wien zu besuchen, durch die historische Altstadt zu spazieren und eine Sachertorte in Schönbrunn zu essen. Als sie zum ersten Mal von »Bečki Novi Grad« gehört hatten, war ihnen daher weniger eine ausgestorbene Vorstadt im niederösterreichischen Industrieviertel in den Sinn gekommen, als vielmehr so etwas wie eine kleinere und bessere (weil neuere) Version von Wien. Das einzig Historische an Wiener Neustadt waren jedoch – neben dem römisch-katholischen Dom im Stadtzentrum – die alten Frauen in der Fußgängerzone, die ihre Malteserhunde an sich zerrten und ihre Handtaschen näher an ihre Körper drückten, sobald sie meine Eltern sprechen hörten.

Dafür, dass die Menschen in Wiener Neustadt bis auf »Chen's

7 Mit Corso, oder *korzo* meint man die belebteste Promenade einer Ortschaft (meistens im Zentrum).

8 Abkürzung für Bosnisch/Kroatisch/Montenegrinisch/Serbisch.

Cooking«, den All-you-can-eat-Chinesen am Stadtrand, so gut wie alles zu hassen schienen, was aus dem Osten kam, sahen ihre Gebäude jenen im Ostblock verdächtig ähnlich. Da Wiener Neustadt wegen seiner starken Luftrüstungsindustrie eine tragende Rolle für die deutsche Luftwaffe gespielt hatte, war ein Großteil der Stadt im Zweiten Weltkrieg zerbombt worden – daher hat man dort, wo früher Altbauten standen, nach Ende des Krieges schlecht isolierte Wohnblöcke mit mikroskopisch kleinen Fenstern hingebaut oder die Bewohner mit architektonischen Experimenten der 1970er beglückt. Diese klassischen sozialistischen Bauten waren aber auch das Einzige, was meine Eltern an ihre alte Heimat erinnerte.

Der Nussknacker

Der Deal mit Familie Hell lautete: Meine Mutter putzt, kocht und passt auf die Kinder auf, während sich mein Vater um den Garten und allfällige Reparaturen kümmert. Im Gegenzug durften wir in das alte Haus von Renates Mutter einziehen und dort mietfrei wohnen. Außerdem boten Gerhard und Renate an, meinen Vater dabei zu unterstützen, in einem der umliegenden Betriebe eine Anstellung zu finden.

Dass zumindest einer von ihnen rasch einen festen Job fand, war nämlich entscheidend dafür, ob wir dauerhaft in Österreich bleiben konnten. Meine Eltern waren zwar vor dem Krieg geflohen, jedoch nicht als Asylwerber, sondern als Gastarbeiter. Freilich war die Überlegung im Raum gestanden, in Österreich um Asyl anzusuchen, sie hatten sich dann aber schlussendlich dagegen entschieden und ein Arbeitsvisum beantragt – ein Luxus, der nur den allerwenigsten Menschen auf der Flucht zugutekam. Meine Eltern hatten schon zu viele Geschichten von Menschen gehört, die mitten in der Nacht in Autobusse gesteckt und in eine Heimat zurückverfrachtet worden waren, die sie nicht mehr wiedererkannten. Durch die Beantragung eines Arbeitsvisums anstelle von Asyl wollten sie ebendieses Risiko vermeiden, nach Ende des Krieges in ein zerrüttetes Land abgeschoben zu werden. Sie wollten sich in Frieden ein neues Leben aufbauen, das ihnen nach ein paar Jahren nicht wieder genommen werden würde. Der Verlust einer Heimat reichte ihnen für ein Leben.

Ich weiß nicht, wie meine Mutter und Renate sich anfangs verständigten – die einzige Fremdsprache, die meine Mutter als Kind in der Schule gelernt hatte, war nämlich Russisch. Dass sich später einmal nicht Russisch, sondern Englisch zur Weltsprache entwickeln würde, damit hatte sie im sozialistischen Jugoslawien (zumindest in Montenegro) nicht gerechnet. Zusammen mit diversen Handgesten schienen ihre Sprachkenntnisse allerdings auszureichen, um jeden Abend mit Renate einen Putzplan für den nächsten Tag zu erstellen. Nachdem sie die Reste des Abendessens von den Tellern gewaschen hatte, setzte sie sich an den großen hölzernen Esstisch im Wohnzimmer, wo sie Renate bereits vor einem leeren Blatt Papier mit einem Rotstift in der einen und einem koffeinfreien Kaffee in der anderen Hand erwartete.

Renate wohnte mit ihrer Familie auf insgesamt 250 Quadratmetern, die sich über zwei Stockwerke erstreckten. Dazu kamen noch ein großzügiger Keller sowie der Dachboden. Ihr Haus bot somit nicht nur ausreichend Fläche für Hausstaub, Spinnweben und hartnäckigeren Dreck, sondern auch mehr als genug Platz für die zahlreichen Erinnerungen mehrerer Generationen und Familien, die sich über die Jahre hier angesammelt hatten. Die deckenhohen Schränke quollen über von den alten Kleidern ihrer Großmutter, kratzigen Handtüchern in allen Farben und Größen sowie Wolldecken, die vermutlich ein ganzes Flüchtlingsheim hätten warm halten können. In jeder dunklen Ecke stolperte man über Kisten voller Fotoalben und Spielsachen aus dem vergangenen Jahrhundert, alte Perserteppiche oder unausgepackte Haushaltsgeräte, lugte man hinter einen Vorhang, wurde man manchmal sogar von einem ausgestopften Dachs oder einem Hirschgeweih überrascht (Renates Großvater war Jäger gewesen). Sogar die Speisekammern waren zum Bersten voll mit Mehl, Zucker und allem, was in einem Glas Essig eingelegt mehrere Jahre überdauern konnte.

Die Häuser am Balkan mochten für das ungeübte Auge von außen ungepflegt aussehen: Statt vor bunten Wänden fand man sich meist in einem Meer von nackten roten Ziegeln wieder, denn wer etwa in Serbien oder in Montenegro ein Haus baute, verzichtete oft auf eine Fassade. Gärten wurden auch lange nach der Fertigstellung des Gebäudes als Lagerstätten für Baumaterialien oder andere Arbeitsgeräte genutzt, und beim Zaun improvisierte man gerne einmal. Solange es irgendwo draußen ein ebenes Plätzchen gab, wo man mit seinen Gästen in Ruhe zusammensitzen, schwarzen Kaffee trinken und rauchen konnte, galt das Äußere eines Hauses als gut genug. Dafür war das Innere heilig: Über die Türschwelle gelangte man nur mit Hausschuhen (für Gäste war natürlich mit einem eigenen Kontingent an Schlapfen in verschiedenen Größen gesorgt), das Sofa war bisweilen sogar mit einer schützenden Plastikfolie überzogen und jede Oberfläche mit gehäkelten Spitzendeckchen bedeckt, damit ja keine Wasserflecken auf dem Holz entstanden, wenn man ein Glas Saft absetzte. Am wichtigsten war es, dass das Haus erst einmal von innen schön aussah, um das Äußere konnte man sich auch zu einem späteren Zeitpunkt kümmern, wenn mehr Geld zusammengespart war. Meine Eltern hatten also am Balkan gelernt, von einer hässlichen Fassade nicht unbedingt auf das Innere eines Hauses zu schließen. In Österreich lernten sie, das genauso wenig von einer schönen Fassade ausgehend zu tun.

Das ganze Zeug in Renates Haus musste natürlich nicht nur ordentlich geputzt und gewaschen, sondern auch gebügelt und zusammengelegt sowie regelmäßig ausgemistet und neu sortiert werden. Meistens legte Renate den Putzplan so fest, dass meine Mutter fünf Tage pro Woche mit Putzarbeiten verbrachte und einen Tag mit Bügeln. Sonntags hatte sie frei, außer Familie Hell erwartete Besuch oder es gab aufwendigere Putzprojekte, die mehrere Tage beanspruchten.

Montage verbrachte meine Mutter damit, das Erdgeschoss gründlich zu reinigen. Als Erstes war die Küche an der Reihe: Zunächst spülte sie das angesammelte Geschirr vom Frühstück sowie die leeren Weingläser vom Vorabend, bevor sie alles sorgfältig abtrocknete und in die Küchenschränke zurückstellte. Vor allem bei den Weingläsern war Renate besonders pingelig: Wenn ihr bei der nachmittäglichen Inspektion auch nur ein Wasserfleck am Glasrand auffiel, rief sie meine Mutter aus dem Nachbarhaus herüber und präsentierte ihre Entdeckungen. »Sooo. Nicht! Gut«, mahnte sie mit erhobenem Zeigefinger und klopfte mit ihren langen Nägeln auf das Glas. Nachdem meine Mutter alles ausgiebig poliert hatte, reinigte sie die Spüle und die Armaturen, wischte und desinfizierte alle Oberflächen und brachte die prallen Müllsäcke voller Essensreste vor die Haustür. Als Nächstes folgten Bad und Toilette: Dusche, Waschbecken und Klo schrubbte sie so lange mit Chlorreiniger, Scheuermilch und anderen Putzmitteln, die in Österreich zum Teil nicht einmal zugelassen waren (alle paar Monate erhielt Gerhard eine Lieferung von einem tschechischen Handwerker in seiner Firma), bis alles strahlend weiß glänzte. Sobald das erledigt war, ging es ans Staubwischen: Das erforderte Fingerspitzengefühl, denn Renate war außerordentlich stolz auf ihre venezianischen Masken, mundgeblasenen Vasen und die kleinen Figuren von Swarovski, die sich in den vielen Glasvitrinen im Wohn- und Esszimmer aneinanderreihten. Am meisten hasste meine Mutter die Amethyste in Renates Kristallsteinsammlung: Der Staub, der sich zwischen ihren violetten Zacken ansammelte, war so mühselig zu entfernen, dass ihr Renate eigens zu diesem Zweck sogar einen kleinen Pinsel bereitgelegt hatte.

Als Nächstes waren die Böden dran: Diese mussten zuerst ordentlich gesaugt werden, bevor man sie mit dem Mopp in zwei Durchgängen wischen konnte. Sobald mein Vater mit dem Rasenmähen oder dem Heckenschneiden fertig war, löste er meine Mutter bei der zweiten Runde Bodenwischen ab. Währenddessen reinigte sie den massiven Perserteppich im Wohnzimmer mit einem speziellen Staubsauger, der vermutlich mehr PS als unser Auto hatte und das ganze Haus zum Erbeben brachte. Ob die Böden auch wirklich sauber waren, überprüfte Renate am nächsten Tag mit einem ganz einfachen Trick: Wenn Sebastians Socken nicht strahlend weiß waren, wenn er sie am Dienstagabend zum Schlafengehen auszog, hatte meine Mutter nicht ordentlich geputzt. »Du! Noch einmal! Machen!«, wedelte sie dann mit seinen stinkenden Socken vor ihrem Gesicht herum.

Am nächsten Tag wurde dieselbe Prozedur im Obergeschoss wiederholt. Die größte Herausforderung dort stellten die Kinderzimmer von Sebastian und Stephanie dar. Nicht nur, weil meine Mutter beim Aufräumen durch die unzähligen Spielsachen, Schulhefte und Kleider waten musste, die über den Boden verteilt lagen. Unter ihren Betten fand sie außerdem zwischen benutzten Taschentüchern oft zur Hälfte aufgegessene Bananen und andere Essensreste, die wohl seit ihrem letzten Besuch vor sich hin geschimmelt hatten. Als Stephanie älter wurde und mit dreizehn ihren ersten festen Freund hatte, stolperte meine Mutter in ihrem Zimmer nicht nur über schmutzige Teller, sondern bisweilen auch über ein benutztes Kondom. Da Stephanies Reich größer war als meine heutige Wohnung und sich alles, was sie zum Leben benötigte, in einem Radius von fünf Metern befand, bewegte sie sich nur selten jenseits seiner Grenzen. Das gab meinen Eltern wiederum Grund zur Annahme gab, Stephanie wäre eine Satanistin und drogenabhängig. Denn passend zu ihrer blassen Haut und ihren langen schwarz gefärbten Haaren trug sie ausschließlich schwarze Kleidung, schminkte ihre Augenlider blutrot, malte mit Lippenstift Pentagramme an den Spiegel und hörte den ganzen Tag über Musik, die mein Vater als »ludačka muzika« (»Verrücktenmusik«) bezeichnete. Ihren Freund brachte sie manchmal auch zum gemeinsamen Mittagessen mit der Familie mit. Er war zwar deutlich älter als Stephanie, hatte dafür die gleiche Frisur wie sie, ergänzt durch einen kleinen geflochtenen Ziegenbart, der beim Kauen munter hin und her baumelte und manchmal auch das eine oder andere Stück Panier auffing, das aus seinem Mund fiel. Wenn er nicht gerade an dem Schweinsschnitzel kaute, das meine Mutter soeben in der Küche herausgebraten hatte, blieb sein Mund jedoch die meiste Zeit geschlossen. Auf die wenigen Fragen von Gerhard, denen er nicht ausweichen konnte, antwortete er einsilbig.

Bei Sebastian waren wir uns vom ersten Tag an einig, dass mit ihm irgendetwas nicht stimmte. Nicht nur, weil er mit sieben Jahren bereits mehrmals versucht hatte, mit einem langen Küchenmesser auf Stephanie einzustechen – dafür hatte er sich so lange hinter seiner Zimmertür versteckt und gewartet, bis seine Schwester am gelegentlichen Weg zur Toilette an seinem Zimmer vorbeiging, um sie mit gezücktem Messer zu überraschen – jede Woche erwarteten meine Mutter außerdem neue Entdeckungen in seinem Kinderzimmer. Einmal etwa fand sie Tweety, den Familienwellensittich, mit abgetrenntem Kopf hinter seinem Bett. Obwohl ein Teil von ihr erleichtert war, dass sie nun nicht mehr jede Woche Tweetys Kot von den Wänden und der Zimmerdecke kratzen musste, packte sie den geborgenen Leichnam dennoch in eine Serviette und brachte ihn umgehend zu Renate. Da alle von Sebastians Vorliebe, kleine Tiere zu quälen, wussten, fiel der Mordverdacht sofort auf ihn: Erst wenige Monate waren vergangen, seitdem er seinen Hamster mit grauem Gaffa-Tape an die Wand seines Kinderzimmers geklebt hatte und mit einem ferngesteuerten Spielzeugauto so lange gegen ihn gefahren war, bis das quiekende Nagetier an seinen Quetschwunden verbluten musste.

Neben der wöchentlichen Generalreinigung des Erd- und Obergeschosses erforderten manche Zimmer gesonderte Aufmerksamkeit: so zum Beispiel die Saunalandschaft, die an Renates und Gerhards Schlafzimmer anschloss und mit besonderen Putzmitteln gereinigt und desinfiziert werden musste. Manchmal entschied Renate auch, dass das Wohn- oder Arbeitszimmer einen ganzen Tag an Intensivreinigung benötigten. Sonnige Frühlingstage waren ideal, um die vielen Fenster im Haus zu putzen, verregnete Herbsttage eigneten sich perfekt dafür, die Berge an Walnüssen im Keller zu knacken, damit Renate im nahenden Winter Vanillekipferl und andere Weihnachtskekse für sich und ihre Familie backen konnte.

Selbst wenn jeder Boden gewischt, jede Ecke gesaugt und jedes Hemd gebügelt war, fielen Renate immer noch neue Aufgaben ein: Die Disketten in Gerhards Arbeitszimmer könnten alphabetisch sortiert werden, die Schubladen im Badezimmer im Obergeschoss würden es vertragen, mal wieder aus- und neu eingeräumt zu werden, die Vorhänge könnten vielleicht etwas gekürzt und die Laufmaschen in Renates Strümpfen repariert werden. Wenn meine Mutter schon dabei war, das Badezimmer zu putzen, könnte sie ja auch gleich die Fugen neu übermalen, wenn sie schon das Arbeitszimmer entstaubte, auch noch die einzelnen Computertasten abnehmen und den darunter angesammelten Dreck entfernen.

Wenn mein Vater den Heckenschneider schon bei der Hand hatte, konnte er ja auch die paar Sträucher im Garten von Renates Großtante zurechtschneiden oder die Äpfel bei Gerhards Großmutter pflücken.

Neben diesem akribischen Putzplan vergaß Renate natürlich nie, sich jeden Abend Mahlzeiten zu überlegen, die am nächsten Tag gekocht werden sollten. Schließlich war es ihr äußerst wichtig, dass stets ein warmes Mittagessen auf ihre Kinder wartete, wenn sie von der Schule nach Hause kamen. Die Zutaten für die erwünschten Speisen hatte sie bereits bei *Metro* besorgt; meine Mutter musste also nur noch die genaue Kochanleitung befolgen, die ihr Renate täglich auf den Küchentisch legte, und die in einfachem Deutsch Schritt für Schritt erklärte, wie die bereitgelegten Zutaten verwertet werden sollten: Eine Zwiebel klein schneiden und in der Pfanne andünsten, Schinken in Würfel (nicht Rechtecke!) schneiden und hinzugeben, einen halben Teelöffel Salz dazugeben und alles umrühren. Die Speisen, die meine Mutter aus Montenegro oder Kroatien kannte und anfangs für die Kinder gekocht hatte, waren nämlich bei niemandem gut angekommen: Im sataraš[9] waren Renate zu viele Zwiebeln und in der Bohnensuppe zu viele Bohnen, und sowieso waren die Kinder diese ganzen neuen Gewürze und Geschmäcker nicht gewöhnt. Wo blieben außerdem die Nährstoffe? Sebastian hatte gerade einen Wachstumsschub und brauchte ausreichend Fleisch. Daher wurde der tägliche Menüplan durch traditionelle österreichische Speisen ersetzt: Einen Tag sollte meine Mutter Eiernockerl zubereiten, am nächsten Schinkenfleckerl, am übernächsten Kartoffelgulasch mit Speck, am überübernächsten *Iglo*-Fischstäbchen mit Kartoffel-

9 Gemüseeintopf aus Paprika, Tomaten und Zwiebeln (optional kann man auch Eier dazugeben).

püree (Renate hatte unlängst in einer Werbung gehört, wie wichtig Omega-3-Fettsäuren waren) und schließlich Berner Würstchen mit Pommes frites. Als Beilage gab es gezuckerten Blatt- oder Gurkensalat.

Den krönenden Abschluss bildete das Wochenende, denn samstags war Schnitzeltag. Nachdem meine Mutter die letzten Schweinsschnitzel paniert, eine große Schüssel Kartoffelsalat zubereitet und den Tisch gedeckt hatte, durften wir uns manchmal auch dazusetzen und mit der Familie Hell essen – da meine Mutter jedes Wochenende um die zwanzig bis dreißig Schnitzel briet, war ja genug für alle da.

Als Kind war ich immer fasziniert von diesen gemeinsamen Mittagessen. In meiner Familie saßen wir nie alle gleichzeitig an einem Tisch zusammen. Während mein Vater immer allein und spätnachts aß, starrte ich meistens in den Fernseher und schaufelte blindlings alles in mich hinein, was auf meinem Teller landete; meine Mutter habe ich so gut wie nie essen sehen. Für die Familie Hell hingegen schien das gemeinsame Mittagessen am Wochenende ein heiliger Akt zu sein. Alle wirkten wie ausgewechselt, sobald sie sich an den Esstisch setzten: Sebastian und Stephanie hörten plötzlich auf zu streiten, Gerhard und Renate tauschten kleine Zärtlichkeiten aus, und alle sagten ständig »Bitte« und »Danke« zueinander. Außerdem gab es eine ganz klare Abfolge an Ritualen, die um jeden Preis eingehalten werden mussten: Zuerst beteten wir gemeinsam und bedankten uns bei Gott für die Schnitzelberge. Nachdem jeder am Tisch Amen gesagt und seine Augen wieder geöffnet hatte, folgte ein kurzer Moment von gespannter Stille. Das Einzige, was sich bewegte, waren die vielen Augenpaare, die abwechselnd einander und dem Essensberg in der Mitte des Tisches gebannte Blicke zuwarfen. Erst wenn irgendjemandem ein »Mahlzeit« zwischen den Lippen entflohen war, entlud sich wie durch einen Pistolenschuss die angestaute Spannung, denn diese zwei Silben waren das Signal für den Sturz auf die fettigen Schnitzel. Als wir während der ersten Wochen bei Familie Hell einmal so zusammengesessen waren, hatte mein Vater den fatalen Fauxpas begangen, bereits nach dem Amen mit seiner Gabel bereitwillig in Richtung Schnitzel zu zielen; das schlagartige Verstummen am Tisch und Renates jäh einsetzende Schnappatmung veranlassten ihn jedoch zum Glück dazu, das Besteck im letzten Moment noch rechtzeitig zurückzuziehen. Er hatte irrtümlich das gemeinsame Amen für den Essens-Startschuss gehalten – obwohl meine Eltern beide im sozialistischen Jugoslawien aufgewachsen waren, in dem nicht nur ethnische Spannungen und nationalistische Bestrebungen, sondern auch Gott zu lange unter den Teppich gekehrt worden war, ist mein Vater religiöser aufgewachsen als meine Mutter. Dementsprechend besser war er auch mit diversen religiösen Ritualen (wie etwa dem Beten) vertraut. Die Familie meines Vaters hatte sogar jedes Jahr zu Weihnachten einen orthodoxen Priester zu sich nach Hause eingeladen, damit er die česnica[10] weihen konnte. Den verdeckten Priester ins Haus zu schmuggeln war natürlich gar nicht so ungefährlich gewesen (und hatte dementsprechend viel gekostet), denn wer an Gott glaubte und dabei erwischt oder vom missgünstigen Nachbarn verpetzt wurde, musste drakonische Strafen befürchten. Trotz seiner religiösen Erfahrung musste er jedoch feststellen, dass in Österreich das Tischgebet offenbar nicht mit einem Amen, sondern einem kollektiven »Mahlzeit« endete.

Einmal im Monat wurde auch Gerhards Großmutter zum samstäglichen Essen eingeladen. »Die Schnitzel sind dir ganz

10 Dabei handelt es sich um einen verzierten Laib Weißbrot, der traditionell für das orthodoxe Weihnachtsfest am 7. Jänner gebacken wird.

großartig gelungen!«, lobte sie Renate, während sie mit zittrigen Händen das Fleischstück auf ihrem Teller kleinschnitt. »So knusprig!«, schmatzte sie zwischen ihrem Gebiss. »Danke, Helga«, antwortete Renate und drückte ihre Hand. Nach dem Mittagessen fragte ich meine Mutter beim Abwaschen, warum sie nicht gesagt hatte, dass nicht Renate, sondern sie die Schnitzel zubereitet hatte. »Ma to nije važno« (»Das ist doch egal«), flüsterte sie, während sie mit einem Schwamm versuchte, die Fettrückstände vom Dunstabzug zu entfernen. »Hajde, mišiću, obriši u međuvremenu suđe, ako ti se da« (»Komm, Mäuschen, trockne in der Zwischenzeit das Geschirr ab, wenn du Lust hast«), warf sie mir zu.

Quotentschusch

Während meine Mutter jeden Tag um halb fünf aufstand, noch im Dunkeln eine Stunde lang an unserem Küchentisch mit alten Lehrbüchern aus Renates Hauptschule Deutsch lernte, sich um halb sechs zu Frau Reiter ein paar Häuser weiter aufmachte, um deren Fußpflegestudio zu putzen und sich etwas Geld dazuzuverdienen, ehe sie dann um halb sieben wieder zu Renate zurückeilte, um Sebastian und Stephanie für die Schule zu wecken und ihnen Frühstück zu machen, und, nachdem all das erledigt war, den täglichen Putz- und Kochplan in Angriff nahm, blieb mein Vater mit mir zu Hause.

Er half ihr zwar, wann und wo er konnte – der vorläufige Plan lautete allerdings, dass sich mein Vater erst einmal um eine Arbeitserlaubnis bemühen sollte. Gerhard und Renate hatten außerdem versprochen, ihn dabei zu unterstützen, einen Job in Österreich zu finden. Tatsächlich waren sie auch immer wieder über freie Stellen in Tischlereien oder anderen handwerklichen Betrieben gestolpert, und einige dieser Werkstätten wären auch gewillt gewesen, meinen Vater zu beschäftigen – er hatte in Kroatien Ingenieurswesen studiert und schien offenbar eine attraktive Arbeitskraft für eine Lehrlingsstelle zu sein. Doch egal, wie oft ein Arbeitgeber sein Interesse kundgetan, und selbst als ein Tischlermeister einen offenen Brief ans Ministerium verfasst hatte, wie es denn möglich sei, dass er einen arbeitswilligen Menschen nicht bei sich anstellen konnte – jedes Mal scheiterte es an den Behörden: Die Quote für dieses Jahr sei bereits ausgeschöpft und deshalb könne er keine Arbeitserlaubnis erhalten; er solle es aber gerne nächstes Jahr wieder versuchen. Durch die Kriege in Kroatien und in Bosnien waren in den letzten Jahren mehr Menschen als sonst nach Österreich eingewandert, worauf die österreichische Regierung mit der Einführung einer Quotenregelung für Ausländer reagiert hatte: Sobald ein jährlich festgelegtes Kontingent erschöpft war, durften keine weiteren Aufenthalts- oder Beschäftigungsbewilligungen mehr erteilt werden. Für meinen Vater hieß das übersetzt: Da angeblich zu viele Ausländer da waren, die den Österreichern ihre Jobs wegnahmen, blieb ihm nichts anderes übrig, als der faule Ausländer zu werden, der nicht arbeiten wollte.

Nichtsdestotrotz versuchte er es jedes Jahr wieder, und jedes Jahr wurde er aufs nächste vertröstet. Während er so auf seine Arbeitserlaubnis wartete, ging er zwar immer wieder verschiedenen Schwarzarbeiten nach: Er arbeitete auf Baustellen, in Restaurantküchen, machte Gartenarbeit oder half mit anderen bosnischen oder serbischen Saisonarbeitern bei der Weintraubenernte mit. Dafür wurden sie jeden Morgen von einem Lkw am Bahnhof in Baden abgeholt, in einen Anhänger zusammengepfercht und in die Weinberge gefahren, um Trauben für die Herstellung von Grünem Veltliner zu pflücken. Am Weg dorthin bekam jeder von ihnen eine Leberkäsesemmel in die Hand gedrückt und am Weg zurück die

Hälfte des Geldes, das ihre Sitznachbarn mit österreichischem Pass bekamen: sechzig Schilling pro Stunde für Österreicher, dreißig für Ausländer.

Mein Vater erhielt nie eine Arbeitserlaubnis. Das hatte zur Folge, dass statt ihm meine Mutter zur »Ankerfremden« wurde, also zu dem einzigen Familienmitglied mit einer gültigen Aufenthaltsgenehmigung. Von ihr hing nun ab, ob auch mein Vater und ich in Österreich bleiben durften. Nachdem sich langsam herauskristallisiert hatte, dass mein Vater keine Papiere bekommen würde, hatte Gerhard nämlich versucht, meine Mutter als Kindermädchen bei sich anzustellen. Er hatte sie unter dem Vorwand angemeldet, er müsse immer wieder geschäftlich nach Kroatien reisen und wolle deshalb, dass seine Kinder Kroatisch lernen. Und wer könnte ihnen die Sprache besser beibringen als eine Muttersprachlerin? Zu unser aller Erstaunen erhielt sie, anders als mein Vater, sofort eine Beschäftigungsbewilligung: Offenbar brauchte man in Österreich ausländische Kindermädchen dringender als Ingenieure.

Wie mein Vater versehentlich zum Feministen wurde

Und so wurde mein Vater zum Hausmann. Als ich zum Studieren nach Wien zog, erklärten mir meine neuen Freundinnen, wie feministisch sie das fanden. Doch damals starrten uns alle an, wenn mich mein Vater vom Kindergarten oder von der Schule abholte. Wenn ich Freunde zu Besuch hatte, wirkten sie amüsiert bis verstört, dass er bunte Obstteller zwischen unseren Malblöcken abstellte oder Spaghetti Bolognese für uns kochte, wenn wir vom Spielen erschöpft und hungrig waren. Doch am allerschlimmsten waren ihre Eltern, vor allem die Mütter: Wenn ich bei Freunden zu Besuch war, versuchte ich deshalb auch stets zu vermeiden, mit ihnen allein in einem Zimmer zu sein. Dass die meisten von ihnen selbst Hausfrauen waren, schien sie nämlich nicht davon abzuhalten, mich über meien Vater auszufragen: Was mache er den ganzen Tag über so zu Hause? War ihm nicht langweilig? Wollte er sich nicht einen Job suchen? Warum sprach er eigentlich kein Deutsch? War es für ihn nicht komisch, dass seine Frau arbeiten ging und er nicht? Und wenn wir schon dabei waren: Was genau passiert da eigentlich bei euch unten am Balkan?

So unwohl ich mich bei diesen Fragen auch fühlte – wenn ich ehrlich zu mir war, freute ich mich insgeheim darüber, dass mein Vater keinen Job hatte. Er war mein bester Freund, und ich glaube, ich war auch seiner. Daher nannte ich ihn auch nie »Papa«, sondern immer nur bei seinem Vornamen. Er wiederum sprach mich ausschließlich mit »sine« an, was übersetzt »Sohn« bedeutet. Am Balkan ist es übrigens völlig normal, alle Kinder so zu nennen – ganz egal, welches Geschlecht sie haben. Auch meine Großmutter ruft mich gerne so, vor allem, seitdem die Anzahl ihrer Enkelkinder explodiert ist und sie uns alle miteinander verwechselt. Nichtsdestotrotz konnte ich es nicht lassen, mich immer wieder zu fragen, ob sich mein Vater nicht insgeheim doch einen Sohn gewünscht hatte. Als ich ihm diese Frage einmal stellte, antwortete er jedoch nur mit: »Ma nisam te uopšte trebao pustiti iz jaja« (»Ich hätte dich gar nicht erst aus meinen Eiern lassen sollen«). Damit war die Sache geklärt.

Bis ich alt genug war, um in die Schule zu gehen, verbrachte ich jeden Tag mit meinem Vater. Da er keine festen Arbeitszeiten hatte, ging ich auch nur vormittags in den Kindergarten. Überhaupt hatten mich meine Eltern vorwiegend aus dem Grund dorthin geschickt, damit ich Deutsch lerne. Renate bestand zwar immer darauf, dass meine Eltern zu Hause nicht B/K/M/S, sondern ausschließlich Deutsch mit mir sprechen sollten – sie war davon überzeugt, das wäre die einzig richtige Art und Weise, wie eine Familie eine neue Sprache lernen sollte, wenn niemand in dieser Familie diese Sprache beherrschte. Da sich meine Eltern selbst noch irgendwie mit Händen und Füßen durch Österreich schlugen, ignorierten sie getrost Renates Ratschläge, und wir verständigten uns weiterhin in unserer Muttersprache miteinander.

Ich kann mich nicht mehr daran erinnern, wie genau ich Deutsch gelernt habe – eines Tages konnte ich es plötzlich. Jedenfalls ging ich gerne in den Kindergarten: Nicht nur war ich begeistert davon, was man nicht alles aus einer alten Klopapierrolle basteln konnte und dass ich einen Aschenbecher für zu hause töpfern durfte. Ich mochte vor allem meine Kindergartenpädagogin, Tante Karin, und die Leichtigkeit, mit der sie in die Saiten ihrer akustischen Gitarre schlug, während ihre lockigen, dunkelroten Haare im Takt mitschwangen. Obwohl ich die Liedtexte nicht immer ganz verstand, brüllte ich vom ersten Tag an voller Begeisterung mit: »Arabi arabi guli guli guli guli guli ramsamsam.«[11] Ich glaube, Tante Karin war auch der eigentliche Grund, wieso ich mit vierzehn unbedingt Gitarristin in einer Rockband werden wollte: Nach monatelangem Betteln hatte ich irgendwann auch meine Eltern davon überzeugt, mir eine E-Gitarre zu kaufen, die gerade bei *Hofer* im Angebot war. Beim Auspacken stellte mein Vater jedoch überrascht fest, dass ich ja gar nicht Gitarre spielen konnte – das lag möglicherweise daran, dass ich nie Musikunterricht erhalten hatte. Er führte mein Unvermögen, einen einzigen geraden Akkord hinzubekommen, allerdings auf fehlendes Talent und somit auf ein Zeichen Gottes zurück: »Nekome Bog naredi da svira gitaru, kao na primer Džimi Hendriksu. Tebi nije. Jebiga.« (»Manchen

11 Ein weiterer Klassiker der rassistischen Kinderlieder, die Tante Karin gerne mit uns sang, war »Drei Chinesen mit dem Kontrabass«.

Menschen trägt Gott auf, Gitarre zu spielen, wie zum Beispiel Jimi Hendrix. Dir nicht. Pech gehabt.[12]«) Zwei Wochen später gaben wir die Gitarre daher wieder zurück.

Wie der Vater, so der Sohn

So gerne ich in den Kindergarten ging, noch mehr freute ich mich darauf, nach dem gemeinsamen Mittagsschlaf endlich wieder nach Hause zu laufen und den Nachmittag mit meinem Vater zu verbringen. Während wir warteten, bis meine Mutter mit der Arbeit bei Renate fertig war, widmeten wir uns meiner Lieblingsbeschäftigung, dem Zeichnen. Stundenlang saßen wir über den Küchentisch gebeugt und versanken in eine Fantasiewelt aus bunten Stiften und Kugelschreibern, während die große rote Deckenlampe aus Plastik über uns gelbe Lichtkreise auf unsere Zeichnungen warf. Bei den Blöcken und Kulis handelte es sich meist um Werbegeschenke, die mein Vater auf unseren Spaziergängen in der Innenstadt von den Infoständen verschiedenster politischer Parteien mitgenommen hatte. Dass er kein Deutsch sprach, schien dabei nicht einmal den Unterschriftensammlern bei der FPÖ aufzufallen: Geduldig hörte er sich ihre Ideen an und nickte zwischendurch immer wieder, ohne auch nur ein Wort zu verstehen, bis er schließlich mit Kuli, Papierblock und Feuerzeug triumphierend zu meiner Mutter und mir zurückkehrte.

12 Wörtlich übersetzt heißt »Jebi ga« eigentlich »Fick ihn« (wen man ficken soll, ist dabei nicht klar). Die Phrase wird jedenfalls verwendet, um Bedauern auszudrücken.

Mein Vater hatte in Kroatien in seinem Beruf oft geometrische Skizzen angefertigt und konnte dementsprechend gut mit dem Bleistift umgehen. So zeichnete er mit nur wenigen Schwüngen die Charaktere aus meinen Lieblingszeichentrickfilmen und schob sie auf meine Tischhälfte hinüber, sodass ich ihre Umrisse in bunten Farben ausmalen konnte. Während ich ihm dabei zusah, wie er wieder einmal Simba aus »König der Löwen« oder Tarzan nachzeichnete, lief im Hintergrund immer Radio:

When it will be right?
I don't know
What it will be like?
I don't know
We live in hope of deliverance
From the darkness that surrounds us
Hope of deliverance
Paul McCartney, *Hope of Deliverance*

Obwohl mein Vater kein Englisch verstand, hatte er immer schon eine Vorliebe für englische und US-amerikanische Musik gehabt. Als Jugendlicher hatte er nachts allein zu Hause oft alle Lichter ausgemacht und sich auf den kalten Boden gelegt. Während er mit geschlossenen Augen so dalag, dröhnte aus dem kleinen Transistorradio, das er sich über Jahre zusammengespart hatte, in voller Lautstärke jener Sender, der vermutlich eine ganze Generation an jugoslawischen Jugendlichen zusammengehalten hat: Radio Luxemburg.

Radio Luxemburg war im Jugoslawien der 1960er und 70er eines der wenigen Fenster zum Westen. Jede Nacht warteten unzählige Jugendliche in ganz Jugoslawien gespannt darauf, die neueste Musik aus Europa und den USA zu hören, denn dieses Fenster öffnete sich immer nur zwischen Mitternacht und 4 Uhr morgens. Dank dieses kurzen Zeitraums, in dem der Sender per Funk empfangen werden konnte, kannte mein Vater die Beatles, die Rolling Stones, The Shadows und so ziemlich jede andere Band, die auch österreichische Männer in seinem Alter liebten. Trotz allem galt seine allergrößte Bewunderung Elvis Presley, dessen Musik er nicht nur in- und auswendig kannte, sondern über dessen Privatleben er auch einiges zu wissen schien. Wenn wir uns beim Albaner in der Wiener Neustädter Innenstadt ein Eis holten[13], durfte ich deshalb auch immer nur maximal zwei Kugeln bestellen, damit mich nicht dasselbe Schicksal wie Elvis Presley ereilte – der war nämlich, mahnte mein Vater, deshalb so jung gestorben, weil er zu viel Eiscreme gegessen hat. Wenn der Eisverkäufer die Diskussion zwischen meinem Vater und mir mitbekam, legte er manchmal aus Mitleid eine dritte Kugel obendrauf – er hatte wohl gedacht, wir streiten wegen Geld, nicht wegen Elvis.

Ich hatte im Kindergarten ein wenig Englischunterricht gehabt, außerdem hatten mir ein paar entfernte Verwandte aus den USA zu Weihnachten eine Videokassette mit einfachen Kinderliedern zum Mitsingen mit der Post geschickt. Während mein Vater und ich also malten und Radio hörten, übersetzte ich die Wörter, die ich schon irgendwo einmal gehört hatte. Gemeinsam konnten wir manchmal sogar den ungefähren Sinn der Songtexte rekonstruieren. Meistens handelten sie von verflossener Liebe, wie mir mein Vater erklärte, nachdem ich ihm ein paar Schlagwörter ge-

13 Wenn keine anderen Kunden im Geschäft waren, begrüßte ihn mein Vater immer mit einem lauten »Mirdita!«, und der Eisverkäufer grüßte ihn mit einem (belustigten und korrekten) »Mirëdita!« zurück. Dass sich der Eisverkäufer vor den Österreichern (wie viele andere Menschen vom Balkan) als Italiener ausgab, blieb somit ihr kleines Geheimnis.

geben und er den Rest selbst dazugedichtet hatte. »Uvek sam hteo da znam šta pevaju« (»Ich wollte immer wissen, was sie singen«), sagte er mit großen Augen, wenn ich ihm erklärte, was *darkness* oder *hope* bedeuteten. »Ali bez obzira niko nema tekstove kao jugosi. Juga, tuga.« (»Aber trotzdem hat niemand so gute Songtexte wie die Jugos. Jugoslawien, Trauer.«)[14]

Neben der Bewunderung, die ich empfand, war ich doch auch etwas neidisch darauf, wie mein Vater mit so einer Leichtigkeit jede Figur aus meinen Lieblingsdisneyfilmen in unserer Küche zum Leben erwecken konnte. Sosehr ich auch versuchte, es ihm nachzutun, es gelang mir einfach nicht. »Sve šta kaže mozak, ruka mora da napravi« (»Alles, was das Hirn befiehlt, muss die Hand ausführen«), riet er mir, sobald er meine ungeduldigen Seitenblicke bemerkte und sich mit gespitztem Bleistift wieder seiner Skizze von Arielle oder Mogli widmete.

Irgendwann während unserer Zeichennachmittage dürfte mir mein Vater auch beigebracht haben, wie man liest und schreibt. Ich weiß nicht mehr, wessen Idee es war, aber auf einmal zeichneten wir statt Disneyfiguren nun Wörter und Texte nach, die wir in der Küche verstreut fanden: *Sony, ohne Zuckerzusatz, Dr. Oetker, pflanzliches Fett, klassischer Toastgenuss, Haselnüsse, Keine Macht den Drogen, mit vielen wertvollen Vitaminen und Folsäure, mindestens haltbar bis*. Während ich jedes Wort, das mir im Umkreis von drei Metern um den Küchentisch auffiel, sorgfältig niederschrieb, fragte ich meinen Vater, ohne dabei meinen hochkonzentrierten Blick vom Block zu heben: »Koje je to slovo?« (»Welcher Buchstabe ist das?«) Bis auf »*ü*«, »*ä*«, »*ö*« und »ß« kannte mein Vater jeden einzelnen Buchstaben. Nachdem ich das Wort zu Ende geschrie-

14 Wie ersichtlich, reimen sich auf B/K/M/S Juga (kurz für Jugoslawien) und tuga (Trauer).

ben und vorgelesen hatte, fragte er: »A šta ta reč znači na našem?« (»Und was bedeutet dieses Wort in unserer Sprache?«), bevor er es auf Deutsch langsam vor sich hin wiederholte.

Wenn meine Mutter länger bei Renate bleiben musste, weil die Garage eine Generalreinigung benötigte, ein weiterer Kleiderkasten nach Farben sortiert oder Gerhards Unterhosen wieder einmal geflickt werden mussten, setzte mich mein Vater ins Auto und fuhr mit mir in das alte Hallenbad neben dem Krankenhaus.[15]

»Einmal normal, einmal Kind. Bitte«, teilte mein Vater der Frau mit der blondierten Dauerwelle an der Kassa selbstbewusst mit und zwinkerte ihr zu, bevor ihm ein albernes Gluckern herausrutschte. Mit gespitzten Lippen warf er noch ein »Žu vudre murir avek vu« nach – so würde man in Frankreich flirten, hatte er mir erklärt[16] – und zog seine Augenbrauen verführerisch nach oben. Wie immer brach die Mitarbeiterin in Lachen aus, während sie mit ihren langen glitzernden Acrylnägeln etwas in ein kleines Gerät tippte, das daraufhin krächzend zwei Tickets ausspuckte. Sie kannte meinen Vater und mich schon. »Misli da smo francuzi« (»Sie denkt, wir sind Franzosen«), flüsterte er mir kichernd zu, als wir den langen Gang zur Schwimmhalle entlanggingen.

Ich hatte meinen Badeanzug bereits zu Hause angezogen, sodass ich schneller ins Wasser springen konnte. Die sanfte Wintersonne, die durch die vergilbte Glasfront ins Innere schien, tauchte die Schwimmhalle in goldenes Licht und warf tänzelnde Lichtflecken auf die verfliesten Wände. Während mein Vater entlang der Leine auf und ab schwamm und versuchte, die Schwimmer des

15 Das Bad gibt es heute nicht mehr, es wurde abgerissen und durch eine moderne Wohnhausanlage ersetzt.

16 Er meinte damit: »Je voudrais mourir avec vous.« (»Ich würde gerne mit Ihnen sterben.«)

städtischen Vereins, die in der Bahn nebenan trainierten, zu einem Wettrennen herauszufordern, spielte ich ein paar Meter weiter mit meinem Spielzeug-Orca. Während der Wal und ich gemeinsam zwischen sich froschartig bewegenden Beinen und Haar-Schleim-Büscheln im Becken herumtauchten, stellte ich mir vor, wir wären auf einer abenteuerlichen Tauchexpedition im Ozean. Wenn mir vom ganzen Luftanhalten schwindelig geworden war und ich mich rücklings an der Wasseroberfläche treiben ließ, wanderte mein erschöpfter Blick entlang der Netze, die über die gesamte Decke gespannt waren und in denen sich Fische aus verblasstem Plastik scheinbar verfangen hatten. Die dicke Staubschicht, die sich über die Jahre auf ihnen festgeklebt hatte, erschwerte allerdings die intendierte Illusion, dass es sich dabei um einen frischen Fang handelte.

Der einzige Wermutstropfen an diesen Hallenbadtagen war die Lautsprecherdurchsage zum Badeschluss, denn dann ging es ans Duschen. Ich war noch zu klein, um mir die Haare selbst zu waschen, ohne ständig Shampoo in die Augen zu bekommen, allerdings konnte mich mein Vater zum Duschen nicht einfach in den Damenbereich begleiten. Deshalb hielt er es für die beste Idee, mich einfach zu den Herren mitzunehmen.

Ich glaube, das waren die Momente, in denen ich meine Unschuld verlor. Da meine damalige Körpergröße die Hüfte eines durchschnittlich großen Mannes nicht überstieg, befanden sich meine Kinderaugen auf der idealen Höhe, um die volle Pracht der duschenden Männer um mich herum erfassen zu können. Da die einzelnen Duschkabinen weder durch Türen noch Vorhänge verschließbar waren, konnte man sein Gegenüber während des gesamten Duschvorganges beinahe ungestört beobachten, wenn man sich nicht allzu ungeschickt anstellte. Die Männlein, die sich einzig mit einem Stückchen Seife in der Hand bewaffnet in meinem Sichtfeld positionierten, sahen fast immer gleich aus: ein dicker Bauch, der so fest schien wie ein großer Fußball und ihr prominentester Körperteil war, sowie etwas schütteres Haar am Kopf, für das wiederum der schwarze Busch zwischen ihren Beinen aufkam, aus dem, unter dem weichen Unterbauch gut versteckt, ein verschrumpeltes rosa Zumpferl hervorlugte. Ich weiß nicht, wer in dieser Situation wen sich hat unwohler fühlen lassen – die Männer mich oder ich die Männer. Da ich noch zu jung war, um den richtigen Moment zu erkennen, ab dem direkter Augenkontakt unangenehm wird (beziehungsweise es mir wohl auch einfach egal war), starrte ich, während mir mein Vater gründlich die Haare schamponierte, meinem Gegenüber so lange in die Augen, bis es sich beschämt zur Wand umdrehte.

Eines Nachmittags zogen die professionellen Schwimmer meine Aufmerksamkeit länger auf sich. Jeden Tag bewegten sie sich in der vom Rest der Badegäste abgetrennten Bahn mit kräftigen Schlägen auf und ab, während eine stämmige Frau in einem weißen Poloshirt den Beckenrand entlangspazierte und jeden ihrer Armzüge aufs Genaueste beobachtete. Immer wieder blies die Frau in ihre Trillerpfeife und schrie den Sportlern wild gestikulierend irgendetwas zu, die beim schrillen Klang der Pfeife sofort stehen blieben und mit ihren Köpfen aus dem Wasser in ihre Richtung ragten. Mir gefiel es, wie grazil sich die Schwimmer durch das Wasser bewegten. Sie erinnerten mich an Schlangen, wie sie so durch das Wasser glitten, die Mäuler aufrissen und ihre Gesichter zu seltsamen Grimassen verzogen, wenn sie zum Luftholen auftauchten. Mein Vater hatte mich wohl am Beckenrand sitzen gesehen, denn plötzlich tauchte er vor mir auf.

Er hatte schon als Jugendlicher davon geträumt, Profi-Sportler zu werden, und es gab wohl keine Sportart, die er nicht zusammen mit seinen Brüdern ausprobiert hätte: Fußball, Kung-Fu, Tai-Chi,

Karate, Boxen, Gewichtheben, Weitspringen – all das hat mein Vater auf den Straßen Serbiens gelernt. Dementsprechend schien er erleichtert, dass seine Tochter endlich einen Funken Interesse für irgendeine Art von Sport zeigte. Bis zu diesem Zeitpunkt hatten seine zahlreichen Versuche, mich für irgendeine Form der körperlichen Betätigung zu begeistern, nämlich nicht besonders gefruchtet: Auf seine Aufforderungen, auf der 400-Meter-Laufbahn im Akademiepark mit ihm um die Wette zu laufen, hatte ich meistens mit Raunzen reagiert, auch brachte ich selten die Aufmerksamkeit auf, seinen Ausführungen über die richtige Fausthaltung oder die beste Deckung im Nahkampf zu lauschen. Da wir nun offenbar endlich einen Sport gefunden hatten, auf den wir uns einigen konnten, zögerte mein Vater auch nicht lange, als ich andeutete, gerne mit den anderen Schwimmern im Becken trainieren zu wollen. Da ich mich nicht traute, die Frau am Beckenrand allein zu fragen, musste mein Vater vor. »Mein Tochter muuiiichte schwimmen. Bei Ihnen?«, stammelte er mit seinem albernen Lächeln, das er für solche Situationen immer parat hatte, und deutete auf mich. Da ich mich ein paar Meter weiter hinter einem Startblock versteckte, konnte ich zwar nicht jedes Wort verstehen, doch offenbar schienen sie gut miteinander auszukommen, denn wenige Augenblicke später war ich bereits im Wasser, um meine Schwimmfertigkeiten vor der Trainerin zu demonstrieren. Ich schwamm eine Länge, sie nickte, und zwei Wochen später hatte ich meinen Mitgliedsausweis für den Wiener Neustädter Schwimmverein.

So eindrücklich mir diese Nachmittage im Schwimmbad in Erinnerung geblieben sind – den Großteil der Zeit, während wir auf die Rückkehr meiner Mutter aus Renates Haus warteten, verbrachten mein Vater und ich damit, sämtliche Puppen und Stofftiere, die ich besaß, auf dem Wohnzimmerteppich auszubreiten und mit ihnen zu spielen. Die meisten Spielsachen hatten früher einmal Sebastian oder Stephanie gehört: Mit manchen von ihnen hatte Stephanie noch als Kleinkind gespielt, andere wiederum waren sogar noch verpackt, weil sie Sebastian nicht gefallen hatten und deshalb in die hinterste Ecke des Spielzimmers verbannt worden waren. Dieser Friedhof der Kuscheltiere wurde jeden Sommer aussortiert: Alle Spielsachen, von denen Renate meinte, sie wären für ihre Kinder mittlerweile uninteressant geworden, durfte meine Mutter mitnehmen. Einen Teil behielten wir, den anderen nahmen wir im nächsten Sommer zu unseren Verwandten am Balkan mit.

Mein Vater brauchte allerdings nicht einmal Spielsachen, es reichte schon ein Teppich, dass er in jede Fantasiewelt, die ich mir zusammenreimte, ohne Wenn und Aber sofort einstieg. »Hajde da se igramo da smo kobajagi lavovi. Ove narandžaste fleke na tepihu su ostrva a oko njih su neke duboke vode« (»Komm, spielen wir, als ob wir Löwen wären. Die orangen Flecken am Teppich sind Inseln, um sie herum ist tiefes Wasser«), musste ich nur rufen, und schon lief mein Vater auf allen vieren herum, warf seinen Kopf in den Nacken und brüllte, so laut er konnte. Er war Mufasa und ich Simba, gemeinsam kämpften wir gegen Hyänen und aßen bunte Käfer, die wir aus Glasmurmeln improvisierten. Wenn ich darauf keine Lust mehr hatte, fing ich im Spiel laut zu gähnen an und kletterte auf seinen Rücken. Dabei ließ ich meine Gliedmaßen an seinen Flanken herunterhängen und tat, als wäre ich ein schlafendes Löwenjunges, während er unbeirrt auf allen vieren weiterlief.

Da mein Vater inzwischen endgültig aufgegeben hatte, nach einer Arbeitserlaubnis und einem Job zu suchen, und nachdem er auch immer seltener Schwarzarbeiten nachging, fand Renate, dass er die frei gewordene Zeit doch am besten nutzen konnte, um ein paar Aufgaben mehr bei ihr im Haushalt zu übernehmen.

Er unterstützte meine Mutter jetzt nicht nur jeden Tag beim Putzplan und bei der Kinderbetreuung, sondern übernahm auch zusätzlich die Gartenarbeit bei Renates Großtante und Gerhards Großmutter. Dazu gehörte auch, dass er im Winter die Einfahrten freischaufelte, worauf ich mich jedes Jahr besonders freute, denn: Nach getaner Arbeit baute er aus dem frischen Schnee, den er frühmorgens im Dunkeln zusammengeschaufelt und zu einem kleinen Berg geformt hatte, jedes Mal auch einen Schneemann auf unserer Gartenhälfte. Wenn ich nach dem Frühstück in den verschneiten Garten hinausrannte, wurde ich daher nicht nur vom ersten Schnee, sondern auch von einer lustigen weißen Gestalt mit unterschiedlich großen Steinaugen und Armen aus knorrigen Ästen überrascht.

Meine Freude dauerte jedoch meist nicht lange an, denn sobald Sebastian den kleinen Schneemann von seinem Fenster aus erblickt hatte, stürmte er in den Garten und trat mit seinen im Verhältnis zum Körper überdimensional großen Stiefeln so lange auf ihn ein, bis er wieder zu einem Haufen Schnee geworden war. Als mein Vater mich eines Morgens wieder einmal wegen des zerstörten Schneemanns tröstete und mit mir gemeinsam über Sebastian schimpfte, um mich vom Weinen abzuhalten, kam ihm jedoch eine Idee.

Es waren die 1990er, alle vier Jahreszeiten waren noch einigermaßen existent, und es überraschte nicht weiter, dass auch am nächsten Tag eine neue Schneeschicht dazugekommen war. Nachdem mein Vater wie gewohnt alle Gehsteige freigeschaufelt hatte, baute er daher wie jeden Morgen einen Schneemann. Dieser Schneemann war nun aber nicht nur deutlich größer als alle anderen Schneemänner davor; diesmal übergoss ihn mein Vater außerdem zum Schluss mit einem vollen Kübel Wasser, den er ihm schließlich als Hut auf den Kopf setzte.

Als ich aufgewacht und den prächtigen neuen Schneemann vom Schlafzimmerfenster aus erblickt hatte, traute ich mich zuerst nicht, die Stiegen hinunter in den Garten zu laufen, um ihn in Begutachtung zu nehmen. Ich hatte zu große Angst, dass Sebastian wieder kommen und ihn zerstören würde. Dasselbe hatte sich offenbar auch mein Vater gedacht, denn nachdem ich mich endlich dazu durchgerungen hatte aufzustehen und vorsichtig die Stiegen hinunter spazierte, sah ich ihn schon am Fenster bei der Eingangstür sitzen und hinter dem Vorhang in den Garten hinauslugen. Bevor ich auch nur ein »Dobro jutro« (»Guten Morgen«) herausbringen konnte, deutete er mir mit einem Finger vor dem Mund, näher zu kommen, und zeigte nach draußen, wo Sebastian tatsächlich bereits auf dem Weg zum Schneemann war. Ich hatte meine Augen schon ganz fest geschlossen, da ich das bevorstehende Massaker nicht mitansehen wollte, als ich meinen Vater plötzlich in schallendes Gelächter ausbrechen hörte. »Vidi ovu budalu« (»Schau dir diesen Trottel an«), stieß er zwischen seinen Lachkrämpfen aus. Als ich meine Augen einen Spaltbreit öffnete, konnte ich noch einen Blick auf Sebastian werfen, der mit schmerzverzerrtem Gesicht in Richtung Veranda humpelte. Der Schneemann hingegen thronte nach wie vor stolz am selben Ort und schien weitgehend unversehrt. Als ich mich in den Garten vorwagte, um Zeugin dieses Wunders zu werden, und den Schneemann vorsichtig mit der flachen Hand berührte, bemerkte ich, dass er sich unter meinen Fingern nicht nur eiskalt, sondern auch steinhart anfühlte. Er war von oben bis unten durchgefroren.

Mein Vater wurde zu einem großen Bruder für mich. Er war nicht nur mein bester Freund und Spielgefährte, ich wusste auch, dass er mich vor allem beschützen würde – für den Fall, dass seine Deutschkenntnisse dafür nicht ausreichen würden, hatte er seine zumindest Fäuste. Da er nun öfter zu Hause war, hatte er auch mehr Zeit, um an seinen Muskeln und Nahkampffertigkeiten zu arbeiten. Wenn er nicht gerade im Akademiepark laufen oder im Hallenbad schwimmen war, rollte er am Wohnzimmerteppich herum und machte Liegestütze, Kniebeugen, Sit-ups oder andere nicht einordenbare Bewegungsabläufe. Da ihm offensichtlich nie jemand gezeigt hatte, wie man diese Übungen korrekt ausführt, sahen seine Bodenturneinheiten nämlich eher aus wie eine Kunstperformance an der Angewandten: Unterstrichen von einem verzerrten Gesicht und seltsamen Geräuschen waren seine Bewegungen ruckartig und wirkten unkoordiniert, manchmal lag er auch mit ausgestreckten Gliedmaßen wie ein Käfer auf dem Rücken und versuchte mit seinen Armen abwechselnd die Knie zu berühren. Sobald er sein Training beendet hatte, bettelte er mich an, mit der Kamera Fotos von seinen Muskeln zu machen, damit er sie im Sommer seinen Brüdern in Serbien zeigen konnte. Bis wir das richtige Licht und die perfekte Körperhaltung gefunden hatten, um seine Muskeln in Szene zu setzen, musste zuerst ich als Probemodel vor die Linse treten und verschiedene Posen einnehmen, bevor wir Platz tauschen, ich die Fotos schießen und endlich erlöst werden konnte.

Da wir es bei Meinungsverschiedenheiten mit deutschsprachigen Außenstehenden freilich nicht auf einen Faustkampf anlegen wollten, beschlossen mein Vater und ich in einer stillen Abmachung, dass für jegliche Kommunikation außerhalb unserer vier Wände ab sofort ich zuständig sein sollte. Das hieß natürlich nicht, dass mein Vater nicht nach wie vor das Sagen hatte: In Geschäften, auf Tankstellen oder wo auch immer ein verbaler Austausch auf Deutsch notwendig war, diktierte er mir zuerst ins Ohr, was ich sodann simultan übersetzte. Doch obwohl er also weiterhin den Ton angab und ich lediglich als Dolmetscherin fungierte, wurde mir dabei zum ersten Mal bewusst, dass mein Vater nicht nur der Mensch war, der innerhalb unserer sicheren vier Wände existierte. Es gab eine Welt, in der er nicht nur das Vorbild war, das ich von zu Hause kannte, der Mensch, der mir beigebracht hatte, wie man liest, schreibt und sich vor nichts fürchtete.

Sobald er die Türschwelle unseres Hauses überschritt und einen Fuß auf die Straße setzte, ließ er diesen Teil von sich zurück. Seine Körperhaltung veränderte sich, sein Gang wurde bedächtiger, sein Rücken gebückter und seine Stimme schwächer. Es war, als hätte ihm jemand die Kleider vom Leib gerissen und als müsste er auf einmal nackt durch die Welt gehen. Er wirkte verängstigt, wie ein Tier, das in Gefangenschaft gezüchtet und erstmals in die Freiheit entlassen worden war. Wenn wir zu Hause stritten, hatte mein Vater die Angewohnheit, seine Augen manchmal so weit aufzureißen, dass ich einzig wegen seines Blickes Angst bekam und verstummte – davon war draußen seit einiger Zeit nichts mehr zu sehen. Nur manchmal blickte er mich verstohlen von der Seite an und deutete mir, ich solle vorgehen. Verstand ich seine Gesten nicht umgehend, stieß er hin und wieder ein knappes Wort aus seinem Mund hervor. Wenn ich ihn für einen Moment allein ließ und ihn ein Verkäufer oder jemand auf der Straße auf Deutsch ansprach, fing er an zu lächeln und richtete seine Augen auf den Boden, wie ein schüchternes Kind, das einem Erwachsenen seinen Namen nicht verraten möchte; nicht einmal mit den Unterschriftensammlern der FPÖ wollte er sich mehr unterhalten. Wenn er kurz aufschaute, dann nur, um panisch meinen Blick zu suchen. Sobald wir wieder zu Hause waren und die Haustür ins Schloss gefallen war, riss er sich augenblicklich sein T-Shirt vom Körper und ließ einen tiefen Seufzer mit all der Luft aus, die er bis dahin angehalten hatte. »Baš sam se oznojio« (»Ich bin richtig verschwitzt«), ächzte er selbst im Winter.

Genauso wie Arielle, die Meerjungfrau, sobald sie die Welt über Wasser betritt, nicht nur ihre Flossen, sondern auch ihre Stimme verliert, hatte auch mein Vater außerhalb von Renates Nebenhaus nichts mehr zu sagen. Hier drehten sich unsere Rollen nun um, denn obwohl ich weniger von ihr gesehen hatte, konnte ich durch die Welt über Wasser bald besser navigieren als er. Die Zeiten, in denen nur er mich an der Hand geführt hatte, waren endgültig vorüber. Sosehr ich während all der Jahre auf ihn angewiesen war, inzwischen konnte er nicht mehr leugnen, dass er mich genauso brauchte.

Marlboro Gold

Wenn ich versuche, ein Bild meiner Mutter während unserer Zeit bei Familie Hell zu malen, sehe ich sie stets mit Renate im Rücken.

Sie hatten zwar feste Arbeitszeiten von 6:30 Uhr bis 14:30 Uhr vereinbart. Nachdem sie ihre Schicht beendet hatte, bestand Renate allerdings jedes Mal darauf, dass meine Mutter noch kurz dablieb, um mit ihr gemeinsam eine Zigarette im Keller zu rauchen. Aus einer Zigarette wurden fünf, und aus fünf wurden im Laufe des Tages zehn. Bereits eine Stunde nachdem meine Mutter die Verbindungstür hinter sich zugemacht hatte, stand Renate wieder in unserer Küche. Diese Tür, die Renates und unser Haus miteinander verband, war nicht verschließbar – oder zumindest habe ich nie einen Schlüssel im Türschloss stecken gesehen. So konnte Renate, wie auch einst ihre Mutter, zu jeder Tages- und Nachtzeit ungestört zu uns ins Nebenhaus hinüberspazieren, wenn sie etwas benötigte oder ihr nach ein wenig Gesellschaft war.

Sobald ich ihre schnellen Schritte auf dem Teppichläufer in unserem Gang hörte, wusste ich schon, dass sie meine Mutter gleich wieder zu sich in den Keller entführen würde, um »noch eine anzuzünden« oder »um noch etwas zu besprechen«. Pro Zigarette wurde zumindest eine halbe Stunde von dem Zeitkontingent meiner Mutter abgezogen, das eigentlich mir zustand. Um die kostbare Zeit mit ihr nicht zu verlieren, kam ich deshalb immer wieder auf ihre Zigarettenausflüge mit. Eines Nachmittags erzählte Renate wieder einmal von ihrem Reiki-Kurs, den sie seit kurzem bei einem pensionierten Musiklehrer und selbsternannten Schamanen namens Manfred besuchte. Während sie ihre neu erlernten Heilkenntnisse an meiner Mutter demonstrierte und ihr die Hände an die Schläfen hielt, um ihre Kopfschmerzen mithilfe von Energie zu lindern, versuchte ich wiederum auf telepathischen Weg Druck auf meine Mutter auszuüben, damit wir endlich gingen. Da sie meine gereizten Blicke ignorierte, fing ich aus Langeweile an, mit dem Nussknacker ein paar der Walnüsse zu öffnen, die sich auf einem Berg neben Renate türmten – meine Eltern mussten das ohnehin irgendwann im Laufe des Jahres erledigen, und ich bildete mir ein, ihnen auf diesem Weg eine Hilfe zu sein. Während ich mit meinen abgebissenen Fingernägeln versuchte, die Walnusskerne aus den Nusshälften zu kratzen, warf ich Renate von Zeit zu Zeit einen grimmigen Blick zu. »Ganz der Papa!«, rief sie entzückt und lachte.

Ich hasste Marlboro Gold und ich hasste Renate Hell. Ich hasste ihr krächzendes Raucherlachen und wünschte mir insgeheim, dass sie an einem der Hustenanfälle erstickte, die jedes Mal darauf folgten. Ich hasste ihre Zahnkronen, die sich dank des helleren Farbtons vom Rest ihres Gebisses abhoben. Ich hasste ihren Kurzhaarschnitt mit den blonden Strähnchen, ihre Bernsteinhalsketten und die dummen Schulterpolster in ihren Polyesterblusen. Ich hasste die kleine goldene Lesebrille auf ihrer schmalen Nasenspitze, die sie stets an einem bunten Band befestigt um ihren dünnen faltigen Hühnerhals trug, für den Fall, dass sie ganz dringend etwas lesen musste. Ich hasste es, wie sie ihre strichdünn gezupften Augenbrauen hob und ihre Stirn runzelte, wenn sie mich über die Brille hinweg mit ihren eisblauen Augen ansah. Renate war wie ein Zeck, der sich an meiner Mutter festgesaugt hatte, schlimmer noch: Sie war der Teufel.

Dieser Teufel schlief nie, er war immer da, ob an meinem ersten Tag im Kindergarten, meinem ersten Schultag, zu katholischen Weihnachten, zu orthodoxen Weihnachten, an jedem Geburtstag und sowieso an jedem anderen Tag im Jahr auch. Dafür musste Renate sich nicht einmal erklären, immerhin war es ja ihr Haus, in dem wir lebten, und sie durfte machen, was sie wollte. Dazu gehörte wohl auch, sich nie ein Blatt vor den Mund nehmen zu müssen: Unablässig kommentierte sie jede einzelne Lebensentscheidung, die meine Eltern oder ich trafen, egal wie groß oder klein sie war: Warum kauften wir Eier aus Bodenhaltung, die waren doch ungesund, warum hatte mein Vater keine Freunde? Warum stand das Sofa so und nicht andersrum im Wohnzimmer? Außerdem würde ich zu laut am Parkettboden trampeln, sie spüre die Erschütterungen bis zu sich hinüber. Warum gingen wir nie in die Kirche? Wieso hatte meine Mutter schwarze Haare, braune Augen und überhaupt dunklere Züge als mein Vater und ich? Wir beide würden nicht auffallen, aber sie zerstöre das Bild – wenn meine Mutter nicht wäre, würden wir fast aussehen wie eine echte österreichische Familie.

Mittlerweile war ich auch fest davon überzeugt, dass das Rauchen bloß ein Vorwand war, um meine Mutter wieder zurück zu sich ins Haus zu locken. Denn fast jedes Mal, wenn Renate sie auf eine Zigarette einlud, fiel ihr ein, dass noch ausnahmsweise ganz dringend etwas umgeräumt, repariert oder geputzt werden musste. Nie konnte es bis morgen warten. »Morgen, morgen, nur nicht heute, sagen alle faulen Leute!«, krächzte sie dann lachend mit ihrer Raucherstimme, bevor sie wieder in Husten ausbrach.

Rabenmütter

Irgendwann waren es nur mehr mein Vater und ich – zumindest fühlte es sich so an.

Meine Mutter war zu einer Fremden geworden. Während mein Vater und ich Musik hörten, zeichneten, fernsahen, kochten, putzten, einkaufen, ins Schwimmbad oder auf den Spielplatz gingen, war sie bei Renate. Bevor sie sich abends auf das graue Sofa im Wohnzimmer fallen ließ, setzte sie sich manchmal noch kurz zu meinem Vater und mir an den Küchentisch – meistens jedoch nur, um uns zu maßregeln: Wieder einmal hatten wir vergessen, beim Supermarkt Müllsäcke zu kaufen, warum war das Bett noch nicht überzogen, nicht einmal die Waschmaschine hatten wir ausgeräumt, und wieso war mein Kopf kahlgeschoren? Zur Erklärung: Mein Vater hatte irgendwann einmal gehört, man solle Kindern unbedingt noch im jungen Alter den Kopf rasieren, weil dann die Haare später dichter und kräftiger nachwuchsen. Diese Erklärung hatte zumindest mich davon überzeugt, ihm zu erlauben, meine blonden Locken abzuschneiden.

Nur die Sonntage verbrachten wir manchmal zu dritt. Um dem öden Leben im Industrieviertel für ein paar Stunden zu entkommen, hatten meine Eltern angefangen, an ihren freien Sonntagen mit unserem Renault 4 nach Wien zu fahren (sonntags musste man nicht fürs Parken zahlen). In nur 45 Minuten waren wir in der historischen Metropole, die wir uns dank des Missverständnisses mit Snežana, der Cousine meiner Mutter, eigentlich bereits in Wiener Neustadt erwartet hatten.

Mithilfe des gefühlt zehn Quadratmeter großen Stadtplans, den sie in ihrer Handtasche eingesteckt hatte, war meine Mutter stets bereit, uns durch die Altstadt zu navigieren; meistens wählten wir jedoch die uns ohnedies bereits bekannte Route: Zuerst spazierten wir von der Staatsoper, wo wir unser Auto geparkt hatten, die Kärntner Straße (»Koruška ulica«) zum Stephansplatz entlang und legten dort eine kleine Pause ein. Der Stephansplatz war das wahre, unverfälschte Wien, wie meine Eltern zu sagen pflegten. Wenn ich später einmal zum Studieren nach Wien zog, musste ich mir unbedingt dort in der Nähe eine Wohnung suchen. Vor dem Stephansdom tummelten sich nicht nur aufgeregte Menschen aus aller Welt, sondern noch aufgeregtere Horden an Tauben, denen ich gerne so lange nachlief, bis sie mit kräftigen Flügelschlägen den Dreck von der Straße aufwirbelten und davonflogen. Jedes Mal, wenn mein Vater jemanden B/K/M/S sprechen hörte, geriet er ganz aus dem Häuschen. Es reichte bereits, dass meine Mutter und ich uns kurz wegdrehten, um einen als Bronzestatue verkleideten Straßenkünstler näher zu begutachten, schon war er dabei, einen wildfremden Passanten in ein Gespräch zu verwickeln.

Vom Stephansplatz ging es dann weiter zu den »iskopine« – so nannten wir den Michaelerplatz (wegen den römischen Ausgrabungen dort) – bevor wir dieselbe Route zurück zum Auto antraten. Natürlich verließen wir Wien niemals, ohne einen kurzen Abstecher zu *Pizza Bizi* zu machen – allerdings nicht wegen der Pizza, sondern weil man dort ganz entspannt aufs Klo gehen konnte, ohne etwas konsumieren oder sich übermäßig für seine Notdurft erklären zu müssen.

Als ich noch klein war, beschloss ich eines Sonntags, dass ich statt mit dem Auto unbedingt mit der weiß-roten Straßenbahn den ganzen Weg zurück nach Wiener Neustadt fahren wollte. Die leise Absurdität meiner Idee hatte ich zwar bereits in dem Moment vermutet, sobald ich sie laut ausgesprochen hatte. Doch als meine Mutter meine Annahme auch noch bestätigte, brach ich hemmungslos in Tränen aus. Immer musste sie alles zerstören, zu allem sagte sie immer nur »nein«. Während mein Vater schweigend am Lenker saß, schrie ich mir den ganzen Weg nach Wiener Neustadt auf dem Rücksitz die Seele aus dem Leib. Nicht einmal der Hinweis meiner Mutter, dass die Straßenbahn gar nicht so weit fuhr, konnte mich beruhigen, und so brüllte ich weiter, zwischendurch immer wieder: »hoću tambaj« (»ich will Straßenbahn«) schluchzend, bis ich mich schließlich in den Schlaf weinte. Dass ich »tramvaj«[17] nicht richtig aussprechen konnte und stattdessen unablässig »tambaj« rief, fand später vor allem Renate lustig. Doch nicht nur bei den gemeinsamen Mittagessen bei den Hells, auch bei Familienfeiern und anderen Festen erntete meine Mutter jedes Mal schallendes Gelächter, wenn sie diese Anekdote erzählte.

Irgendwann hasste ich nicht nur Renate dafür, dass sie mir meine Mutter wegnahm, sondern auch meine Mutter, weil sie das zuließ. Wenn ich sie von ihrer Zigarettenpause abholen wollte, hörte ich die beiden immer öfter aus dem Keller lachen, und beim samstäglichen Schnitzelessen fragte mich Renate inzwischen auch über Dinge aus, die ich erst wenige Tage zuvor meiner Mutter im Vertrauen erzählt hatte. Ich fing an, mich zu fragen, ob sie ihre Zeit vielleicht tatsächlich lieber bei Renate verbrachte als bei mei-

17 Tramway.

nem Vater und mir? Immerhin beschwerte sie sich ja nie: Wenn mein Vater sie abends fragte, wie es ihr gehe, antwortete sie immer nur mit »gut«. Ab und zu meinte sie zwar, sie sei etwas müde, doch in all den Jahren habe ich sie nie ein schlechtes Wort über Renate verlieren hören.

Natürlich war auch nicht alles schlecht an ihr. Was man Renate vor allem zugutehalten musste, waren die vielen Geschenke, die sie uns im Laufe der Jahre immer wieder vorbeibrachte: die Reste vom Mittagessen, ein Viertel Sachertorte oder den Weihnachtsschmuck vom Vorjahr, den sie nicht mehr benötigte. Einer der alljährlichen Höhepunkte im Hause Hell war nämlich der Christbaum, der jedes Jahr in neuen Farben erstrahlte. Besorgt wurde er von meinem Vater, den Renate zuvor mithilfe von Fotos von den Weihnachtsfesten aus den Vorjahren eindringlich eingeschult hatte, worauf er beim Einkauf achten müsse: mindestens zwei Meter hoch, aber auf keinen Fall höher als zwei Meter zwanzig, damit noch ausreichend Platz für die sternenförmige Christbaumspitze blieb, unten breit (nicht zu breit) und oben schmal (nicht zu schmal). Besonderes Augenmerk war vor allem auf die perfekte Dichte des Tannenbaums zu legen, damit er am Ende nicht aussah wie ein schlecht gerupftes Hühnchen. Um das Aufputzen kümmerte sich meine Mutter – natürlich unter Renates strenger Aufsicht. Frauen hätten fürs Dekorieren ein besseres Auge, und weil das oberste Gebot lautete, dass der Schmuck vom Vorjahr nicht wiederverwendet werden durfte, wurden wir jeden Jänner mit Schuhschachteln voll glänzender Christbaumkugeln und Holzengeln beglückt.

Renate überraschte uns jedoch nicht nur mit Weihnachtsdekoration, sondern auch mit anderen Schätzen: Eines Tages etwa stand sie plötzlich mit einer großen weißen Mikrowelle auf unserer Türschwelle. Sie hatte eine neue Küche mit einer eingebauten Mikrowelle geliefert bekommen und brauchte ihre alte nicht mehr.

Ich weiß nicht, was in diesem Moment in mich gefahren ist – ich war eigentlich schon immer ein gehorsames Kind gewesen, das seine Meinung für sich behielt und Ältere respektierte, selbst wenn das einzig Respektable an ihnen ihre fortgeschrittene Lebenszeit auf dieser Erde war. Außerdem war eine Mikrowelle ein durchaus praktisches Gerät. Ich kann mir auch nicht genau erklären, woher ich auf einmal die Kraft oder die Schnelligkeit hatte. Doch irgendwie gelang es mir, die Mikrowelle an mich zu reißen, die Renate gerade noch mit einem stolzen Lächeln auf dem Küchentisch abgestellt hatte. Sobald ich sie fest mit meinen Armen umschlungen hatte, schmetterte ich sie mit aller Wucht auf den Boden, noch bevor meine Mutter begreifen, geschweige denn mich von meinem Vorhaben abhalten konnte. Leider zerschellte die Mikrowelle nicht in tausend Stücke, wie ich es eigentlich erwartet hatte, der Laminatboden war wohl zu weich dafür. Nichtsdestotrotz nahm ich mir einen Moment, um zufrieden auf das vollendete Werk zu meinen Füßen zu blicken, bevor ich auf die Tür deutete und Renate ins Gesicht schrie: »Tante van, mikro van!« (»Tante raus, Mikro raus!«)[18]

Interlude

Mein erstes Wort war »kuća«. Als meine Mutter eines Nachmittages wieder einmal am Rijekaner Schiffshafen mit mir im Kinderwagen spazieren war, zeigte ich auf einmal mit ausgestrecktem Zeigefinger auf ein Haus und rief »kuća«.

18 Als kleines Kind nannte ich Renate immer *Tante* und Gerhard *Onkel*.

Meine Eltern hatten zum Zeitpunkt ihrer Flucht fast die Hälfte ihres Lebens in Rijeka verbracht. Sie hatten ein liebevoll eingerichtetes Zuhause, feste Berufe und einen großen Freundeskreis, sie wussten, wo man den frischesten Fisch bekam und in welchem Kino donnerstags vergünstigte Karten, auf welchen Straßen man sich an die zulässige Höchstgeschwindigkeit halten musste und wo man schon etwas fester auf das Gaspedal drücken durfte. An den Wochenenden fuhren sie auf die Insel Krk, sonnten sich am Strand, schwammen im Meer, spielten Badminton und aßen ihre allererste Pizza.

Der Krieg hatte ihnen einen Teil dieses Lebens genommen. Mit ihrer Entscheidung, Kroatien zu verlassen, hatten sie jedoch in Kauf genommen, auch den Rest aufzugeben – zumindest vorübergehend. Sie hatten ihren Frieden damit geschlossen, während der kommenden paar Jahre kein festes Zuhause zu haben, und sich damit abgefunden, einstweilen wieder zur Arbeiterschicht zurückzukehren. Ihnen war bewusst, dass sie sich in nächster Zeit für ihren Aufenthalt und für alles andere rechtfertigen mussten, was sie bis dahin für selbstverständlich gehalten hatten.

Dass sich der temporäre Verlust ihres Lebens in einen dauerhaften zu verwandeln drohte, darunter litt vor allem mein Vater lange Zeit. Als ich noch klein war, erzählte er mir oft, er wolle nach Kroatien zurück, er bereue es, nach Österreich geflohen zu sein. Er würde jetzt gleich seinen Koffer packen, sich ins Auto setzen und zurückfahren. Notfalls wolle er das Land sogar ohne uns verlassen und einfach eine neue Familie in Kroatien gründen – zumindest damals nahm ich seine Ankündigungen noch sehr ernst. Heute sagt er, Österreich sei das beste Land der Welt: »Jedino šta mogu je da te mrze.« (»Das Einzige, was sie dir antun können, ist, dich zu hassen.«)

Viele Ängste, die meine Eltern in diesen Jahren geplagt haben, werde ich wohl nie nachempfinden können – sollte ich überhaupt jemals von ihnen erfahren. Denn als ich meine Mutter vor einigen Jahren nach ihren Erinnerungen aus unserer Anfangszeit in Österreich gefragt habe, erzählte sie fast ausschließlich von schönen Erlebnissen: von der älteren Nachbarin, die ihr jedes Jahr eine Nikolaustüte für mich mitgab, von dem Grenzbeamten, der meinen Vater trotz ungültigem Visum wieder nach Österreich hat einreisen lassen (er hatte soeben seinen Pass in Kroatien erneuert, ohne zu wissen, dass dadurch sein österreichisches Visum seine Gültigkeit verlieren würde), oder von der Beamtin im Rathaus, die meiner Mutter eine Fristerstreckung gewährt hat, als sie ihren kroatischen Führerschein nicht rechtzeitig übersetzen lassen hatte. Auf meine Nachfrage, ob ihr auch irgendwelche negativen Dinge im Gedächtnis geblieben seien, antwortete meine Mutter, sie habe stets versucht, sich nur an die schönen Dinge zu erinnern. Und falls ihr doch etwas einfiel, erwähnte sie das nur beiläufig, ungefähr in demselben unaufgeregten Ton wie sie von unserem Nachbarn in Rijeka erzählte, der eines Tages plötzlich angefangen hatte, mit einer Kalašnjikov aus dem Fenster zu schießen.

Ich glaube nicht, dass ich es schwerer hatte als meine Eltern, ganz im Gegenteil. Ich denke aber, dass sie mir bei ihrer Ankunft in Österreich in einer Hinsicht voraus waren: Obwohl ihre Namen bald nicht mehr aus Buchstaben, sondern aus Sonderzeichen bestehen würden, wussten sie damals dennoch, wer sie sind. Oder zumindest, wer sie bis zu diesem Zeitpunkt gewesen waren.

Ich habe meinen Namen in Österreich zum ersten Mal korrekt ausgesprochen, als mir mein Doktortitel verliehen wurde. Ich denke, dass ich mir meine richtige Anrede erst in diesem Moment zugestanden habe. Nun weiß ich nicht, ob es mehr wehtut, aus seinen Wurzeln gerissen zu werden oder niemals Wurzeln geschlagen zu haben. Aber ich weiß, dass ich mir während unserer

Zeit bei Renate nichts sehnlicher gewünscht habe als einen Ort, der nur uns gehört.

Feinde als Freunde

Als Kind fürchtete ich mich vor vielen Dingen: davor, dass wir nicht in Österreich bleiben dürfen oder dass meine Großeltern von einer Bombe getroffen werden. Ich hatte Angst, jemand würde in unser Haus kommen und alles stehlen, was wir besitzen. Jeden Abend, bevor ich schlafen ging, lief ich daher im Pyjama auf unsere Veranda hinaus und sammelte Schuhe, Besen, Aschenbecher und alles andere ein, was ich dort vorfand. Mit vollen Armen lief ich zurück ins Haus und warf mit einem Fußtritt die Tür hinter mir ins Schloss, nur um dann noch mindestens dreimal die Stiegen zum Schlafzimmer auf und ab zu laufen, um mich zu vergewissern, dass ich die Haustür auch wirklich geschlossen hatte. Anfangs amüsierten sich meine Eltern noch über mein neues Ritual, doch als ich eines Abends mit einer langen Erdspur hinter mir versuchte, die Blumentröge mit den Petunien ins Vorzimmer zu schleppen, fragte mich mein Vater, ob ich übergeschnappt sei.

Ich machte mir nicht nur Sorgen um die Petunien, sondern auch um meine Eltern. Jedes Mal, wenn sie außer Haus gingen, rechnete ich damit, dass sie nicht mehr zurückkommen würden. Ich hatte so große Angst, dass ihnen am Weg zum Supermarkt etwas Schlimmes passiert, dass sie von einem herabfallenden Blumentopf erschlagen werden oder in einen tödlichen Autounfall geraten. Ich stellte mir ihre bis zur Unkenntlichkeit verletzten Körper vor, ihre verdrehten Arme, gebrochenen Beine und zerquetschten Köpfe, wie sie auf der Straße liegen und in ihrer eigenen Blutlache verrecken. Ich sah bildlich vor mir, wie jemand meinen Vater verprügelt, weil er kein Deutsch spricht und sich missverständlich ausdrückt, und dass er nicht stark genug ist, um sich zu verteidigen. Ich verfiel in Panik bei dem Gedanken, dass meine Mutter über die Stiegen stolpert und sich das Genick bricht, dass mein Vater von Renates automatischem Garagentor zerquetscht wird, dass plötzlich das gesamte Haus einstürzt und ihm die Wohnzimmerdecke auf den Kopf fällt, während er im Fernsehen die Nachrichten verfolgt, oder dass sich meine Mutter beim Kochen versehentlich die Pulsadern aufschneidet und in Renates Küche verblutet.

Diese Bilder schossen mir über den Tag verteilt immer wieder glasklar in den Kopf. Sie versetzten mir jedes Mal einen so gewaltigen Schreck, dass ich mich für ein paar Momente nicht bewegen konnte und mir nichts anderes übrigblieb, als regungslos dazusitzen, während sie sich wie eine kaputte Schallplatte immer und immer wieder in meinem Kopf abspielten.

Ich erzählte meinen Eltern nie von diesen Bildern. Ich war mir sicher, dass bereits das bloße Zulassen dieser Gedanken Unheil bringen würde – umso größer war meine Angst davor, was passieren könnte, wenn ich sie aussprach. Außerdem war ich mir sicher, dass meine Eltern sie nicht verstehen würden, immerhin versicherten sie mir stets, dass es uns gut ging: Wir hatten ein Dach über dem Kopf, eine Heizung und warmes Wasser. Während die Menschen ein paar Kilometer weiter südlich reihenweise starben, waren wir hier in Sicherheit. Im Gegensatz zu anderen hatten wir außerdem nur zwei Angehörige im Krieg verloren; alle anderen blieben unversehrt, weil sie in den richtigen Ländern lebten oder die richtigen Religionen und Stammbäume hatten: Ein entfernter Verwandter meiner Mutter in Kosovo war spurlos verschwunden und nie wieder gesehen worden. Damals gingen Gerüchte um, seine Organe wären ihm entnommen und nach Europa gehandelt worden – dafür gibt es allerdings keine Belege. Außerdem hat sich herausgestellt, dass solche Behauptungen des Organhandels ein oft eingesetztes Propagandanarrativ serbischer Nationalisten waren. Wir konnten zwar nie herausfinden, was mit ihm geschehen ist, doch als Kind habe ich mich immer gefragt, ob ich vielleicht eines Tages einer Person über den Weg laufen würde, deren Leben er mit seinem Herz oder seiner Niere gerettet hatte, oder vielleicht sogar mit seinem Hirn (der Onkel soll angeblich ziemlich intelligent gewesen sein). Damals wusste ich noch nicht, dass man Gehirne nicht so gut transplantieren kann, weshalb ich auch lange davon geträumt hatte, dass meinem Vater ein Teil eines Hirnes eingepflanzt wird, das fließend Deutsch spricht.

Neue Organe hätte jedenfalls auch der Großneffe meiner Oma in Sarajevo gebraucht, dem kurz nach Kriegsbeginn jemand beim Fußballspielen mit einer Mitraljeza[19] quer über den Bauch geschossen hatte. Noch ein paar Wochen davor hatte seine Mutter mit meiner telefoniert: »Ma nema šanse da stigne rat u Bosnu. Evo upravo se mali igra s prijateljima u dvorištu. Ne znam niti ko je šta: musliman, hrvat, srbin – svi su tu.« (»Nie im Leben kommt der Krieg nach Bosnien. Mein Sohn spielt gerade im Garten mit seinen Freunden. Ich weiß nicht einmal, wer von ihnen was ist: Muslim, Kroate, Serbe. Alle sind da.«) Allerdings sollten die nächsten Jahre das genaue Gegenteil offenbaren sowie nicht zuletzt zwei Dinge: erstens, dass es nie ganz egal war, wer was ist, und zweitens, dass vor allem diejenigen, die schon gleich waren, gerne auch einmal vergaßen, dass die anderen es nicht sind.

Meine Familie hatte also nicht nur Glück gehabt, was den Krieg betraf, sondern uns waren auch noch die allerbesten Voraussetzungen für ein neues Leben in Österreich geschenkt worden:

19 Eine Art Maschinengewehr.

Obwohl wir manch besorgtem Staatsbürger versichern mussten, dass wir nicht den Koran lesen, sondern an Jesus und die Engel glauben, und dass »orthodox« nicht »strenggläubig«, sondern im Grunde einfach nur bedeutete, dass wir Weihnachten und Ostern zwei Wochen später feiern, blieben wir am Ende des Tages die guten Ausländer. Mein Vater und ich hatten noch dazu blaue Augen, ich hatte sogar blonde Locken (nachdem mein Vater sie zwischendurch abrasiert hatte, wuchsen sie allerdings etwas dunkler nach). Immer und immer wieder wurde mir versichert, ich sei ein schönes Ausländerkind. Nicht nur Renate, auch unsere Nachbarn und die Familien meiner Freunde betonten regelmäßig, wir seien nicht wie die anderen. Und nicht zu vergessen: Meine Eltern hatten studiert – zwar nur im ehemaligen Jugoslawien, aber immerhin. Uns ging es gut. Mehr als gut: »Ćuti bre, pala nam je sekira u med!« (»Halt die Klappe, uns ist die Axt in den Honig gefallen!«)[20], sagte mein Vater immer, noch bevor ich überhaupt daran denken konnte, mich über irgendetwas zu beschweren. »Schau dir lieber einmal an, was die in Bosnien alles mitmachen müssen!«

20 Wenn einem die Axt in den Honig fällt, dann bedeutet das, dass er besonders viel Glück hatte.

Unzählige Menschen waren dort im Krieg ums Leben gekommen, vorwiegend die dort lebenden Bosniaken.[21] Allein in Sarajevo, das vier Jahre lang von serbischen Truppen belagert wurde, waren es mindestens elftausend. Die Ethnie, der ich angehörte, hatte somit nicht nur diesen Krieg begonnen, sondern unter anderem auch jenen, vor dem meine Familie geflohen war. Durfte ich mich überhaupt als Flüchtling bezeichnen? Obwohl ich also wusste, dass meine Eltern im Grunde recht hatten, ließen mich meine Ängste dennoch nicht los, im Gegenteil: Sie wurden mehr. Mittlerweile verfolgten sie mich sogar in den Schlaf. Jede Nacht plagten mich Albträume, und wenn ich mit rasendem Herzen aufwachte, erwarteten mich großgewachsene Schattengestalten, die regungslos vor meinem Bett standen. Wenn ich es nicht mehr aushielt, was mittlerweile so gut wie jede Nacht der Fall war, lief ich zu meinen Eltern hinüber und quetschte mich zwischen sie ins Bett.

Die Träume handelten von allem Möglichen: davon, dass ich in einem Van entführt werde, von bewaffneten Männern, die meine Eltern zu erschießen drohen, oder von Dingen, die ich tagsüber in den Nachrichten gesehen hatte. Doch es gab einen Traum, der mir besonders in Erinnerung geblieben ist, vor allem deshalb, weil er mich fast jede Nacht einholte: Er handelte von Renates Katze Pussy.[22] Pussy war eine hagere Katzendame, die aus heutiger Sicht vermutlich einfach nur alt und lebensmüde war – als Kind war ich jedoch davon überzeugt, Pussy wäre das tiergewordene Böse. Ich sah sie kaum, sie mied jegliche Art von menschlichem Kontakt,

21 Bosniaken sind die vorwiegend muslimische Bevölkerungsgruppe, die primär in Bosnien und Herzegowina, aber auch in Teilen Serbiens, Montenegros und Kosovos lebt. Ihre systematische Ermordung (vorwiegend durch serbische Nationalisten) wurde unter anderem vom UN-Kriegsverbrechertribunal als Genozid bezeichnet.

22 Die Katze hieß wirklich so.

nicht einmal mit einem Stück Schnitzel konnte man sie für eine noch so minimale Streicheleinheit bezirzen. Nur ab und zu saß sie auf dem Gartenzaun, oder ich sah ihre großen gelben Augen unter dem Sofa im Dunkeln blitzen.

Ich hatte panische Angst vor Pussy. In meinen Träumen hatte sie eine Armee an Untertanen, deren einzige Aufgabe darin bestand, mich umzubringen. Diese Armee setzte sich aus den Stofftieren zusammen, die mir Renate geschenkt hatte, nur, dass sie im Traum zu überdimensionalen Kreaturen mit messerscharfen Krallen und Zähnen herangewachsen waren. Sie würden mich zwicken, mit ihren steinharten Stoffarmen schlagen oder auch einfach nur so lange kitzeln, bis ich mich vor Schmerzen krümmte. Wie das in Träumen meistens so ist, wollten mir meine Beine natürlich nicht gehorchen, wenn ich versuchte davonzulaufen. Während mich ihre Armee folterte, stand Pussy unbeteiligt im Hintergrund. Sie wollte sich die Pfoten nicht schmutzig machen, sondern beobachtete lieber schnurrend das Geschehen, das sich vor ihren bösen gelben Augen abspielte.

Eines Nachts, als ich wieder einmal vergebens versuchte, vor Pussy und ihrer Armee des Bösen zu fliehen, hatte ich jedoch einen Einfall. Ihr Heer war mir schon auf den Fersen – ein Stoffhase hatte mich bereits mit seinen großen Pfoten an den Haaren gepackt und war gerade im Begriff, mich nach hinten zu zerren –, da blieb ich plötzlich stehen. Als ich meinen Kopf ganz langsam in seine Richtung drehte, erkannte ich einen Anflug von Verwirrung in seinen großen leeren Knopfaugen: Warum versuchte ich nicht wegzulaufen? Anstatt mich zu wehren, fragte ich ihn: »Willst du Freunde sein?«

Seitdem wandte ich diesen Trick jede Nacht an. Denn ganz egal, welchem Mitglied aus Pussys Armee ich diese Frage stellte – jedes Mal ließ es im selben Moment jäh von mir ab. Woran genau das lag, konnte ich zwar nicht nachvollziehen, aber der Wunsch, mich zu quälen, schien offenbar nicht so stark wie das Bedürfnis nach einem Freund. Dank meiner neuen Strategie hatte ich nun statt einer Horde an Feinden, die versuchten, mich umzubringen, eine Truppe an Freunden, vor denen ich mich etwas weniger fürchten musste.

Da sich ihre Armee mittlerweile von ihr abgewandt hatte, war Pussy einsam und geschwächt. Sie erschien nur noch selten in meinen Träumen und falls doch, dann schnurrte sie nicht mehr. Ihr einst erhobenes Haupt war eingefallen, sie wirkte alt und krank, und meistens sah ich sie nur noch ausgemergelt irgendwo am Boden herumliegen, zu müde, um ihre trüben Augen zu heben. Und eines Nachts war sie dann plötzlich weg. Ich konnte noch einen kurzen Blick auf ihre schwarze Schwanzspitze erhaschen, bevor sie für immer hinter einer großen Wand verschwanden.

Als ich am nächsten Morgen erleichtert aus meinem Traum aufwachte, sprang ich aus dem Bett und rannte noch im Pyjama und mit dickem Schlafsand in den Augen zu Renate hinüber. Ich hatte erwartet, ein leeres Haus vorzufinden und allenfalls das sanfte Geschirrklimpern meiner Mutter aus der Küche zu hören. Doch als ich mich ihrer Haushälfte näherte und nach der Klinke der Durchgangstür griff, vernahm ich ein aufgeregtes Stimmengewirr auf der anderen Seite. Neugierig öffnete ich die Tür einen Spaltbreit und streckte meinen Kopf durch. Während Renate und meine Mutter abwechselnd auf Stephanie einredeten, die sich Tränen aus dem Gesicht zu wischen schien, stand Sebastian am anderen Ende des Wohnzimmers und beobachtete mit teilnahmslosem Ausdruck die Szene. Als mich meine Mutter aus dem Augenwinkel erblickte, schlich sie schnellen Schrittes zu mir herüber und flüsterte mir zu: »Pusi je umrla. Vrati se kući, doćiću odmah za tobom.« (»Pussy ist tot. Geh nach Hause, ich komme gleich nach.«)

Ich konnte nicht glauben, was ich hörte. Meine Befürchtungen stimmten also. Ich hatte Pussy umgebracht, einzig und allein mit meinem Traum. Seitdem schwor ich mir, nie wieder ein böses Wort über Renate zu verlieren oder auch nur zu denken – ich konnte sie zwar nicht ausstehen, den Tod wünschte ich ihr dennoch nicht.

Hysterie

Während unserer Zeit bei Renate Hell habe ich sehr viel mit Puppen gespielt. Ich zog ihnen bunte Kleider an, frisierte ihre frizzigen Plastikhaare mit einer pinken Haarbürste und baute ihnen ihre eigenen kleinen Königreiche. Bevor ich mich abends zum Schlafen ins Bett legte, setzte ich die Puppen sorgfältig nebeneinander auf das Wohnzimmerregal, sagte jeder von ihnen Gute Nacht und gab ihnen einen Kuss auf ihre glatte Plastikstirn. Obwohl sich mein Vater ständig beschwerte, dass sie auf dem Regal nur Staub ansammeln würden, beruhigte es mich zu wissen, dass ich sie am nächsten Morgen an genau demselben Ort vorfinden. Sie schienen so glücklich, dass sich die Zähne zwischen ihren kirschroten Lippen in einen einzigen weißen Balken verwandelt hatten. Er zog sich quer über ihr Gesicht und ließ ihren Mund zu einer kleinen österreichischen Fahne erstrahlen.

Als ich noch jünger war, spielte ich hauptsächlich mit Offbrand-Puppen oder gefälschten Barbies. Einige von ihnen waren Geschenke von meinen Verwandten gewesen. Sie hatten sie wohl einem überzeugenden Händler auf der pijaca[23] in Serbien oder Montenegro abgekauft, der ihnen versichert hatte, es handle sich

23 Bezeichnung für Markt auf B/K/M/S.

um Originale; dass die Puppe »Bebinda«, »Angle« oder »Pop Girl« hieß, schien niemanden misstrauisch gemacht oder gestört zu haben. Auch mir war das lange Zeit egal, alles, was ich für meine perfekte Welt brauchte, war ein Stück Plastik, das einem Menschen auch nur annähernd ähnelte.

Doch dann entdeckte ich die verführerische Schönheit des Kapitalismus. Renate hatte mir soeben ein paar alte Barbies ihrer Tochter geschenkt – die Puppen wären bereits zu lange in einem ihrer unzähligen Kästen herumgelegen. Sie hatten lange Beine aus qualitativ hochwertigem Gummi, ihr taillierter Plastiktorso war glatt, aber fest, sodass er beim Spielen nicht aus Versehen eingedrückt werden konnte, und ihre glänzenden Haare erinnerten tatsächlich mehr an eine menschliche Frisur als an eine gelbe Faschingsperücke vom Flohmarkt. Diese Puppen waren in keiner Weise mit meinen vergleichbar: Mit ihren großen blauen Augen, dem kleinen unschuldigen Mündlein und ihren filigranen Gesichtszügen sahen sie aus wie feine Damen. Im Gegensatz dazu wirkten meine Puppen mit ihren übertrieben aufgerissenen Mäulern und dem blauen Lidschatten, als hätten sie sich auf dem Villacher Fasching Pferdebetäubungsmittel gespritzt.

Von diesem Tag an wollte ich mit nichts anderem mehr spielen als mit Barbies. Hätte mein Vater das Wohnzimmer nicht ständig gesaugt, wären meine gefälschten Ostblockpuppen schnell von einer dicken Staubschicht umhüllt gewesen. Allerdings waren Barbies auch schon in den 1990ern teuer, und wir lebten hauptsächlich von Ersparnissen und dem Geld, das meine Eltern durch Nebenjobs dazuverdienten. Unsere finanzielle Situation war mir jedoch ziemlich egal. Mich hatte die Gier gepackt, und die Handvoll Barbies, die mir Renate geschenkt hatte, reichte nicht annähernd aus, um sie zu stillen. Plötzlich sah ich überall Barbies: Meerjungfrau-Barbies, Prinzessin-Barbies, Cowgirl-Barbies, doch nicht nur das: Barbie-Häuser, Barbie-Kutschen, Barbie-Pferde und Barbie-Cabrios. Hatten meine österreichischen Freunde immer schon so viele gehabt? Ich wollte genauso viele haben wie sie.

Ich glaube, Gier ist ein in den meisten Kulturen und Religionen verpöntes Gefühl, aber irgendetwas dürfte ich richtig gemacht haben, denn nur wenige Monate nach meiner Offenbarung kam es in einem beliebten Spielwarengeschäft in Wiener Neustadt zu einem Großbrand. Mein Vater und ich waren ein paar Mal dort gewesen, und ich war sehnsüchtig durch die pinken Gänge voller Barbiepuppen spaziert. Bei dem Brand kam zum Glück kein Mensch zu Schaden (man munkelte, es habe sich um Versicherungsbetrug gehandelt), dafür war der Großteil der Spielsachen dem Feuer zum Opfer gefallen.

Mein Vater hatte immer schon ein natürliches Gespür für gute Angebote gehabt. Sobald er die Nachrichten gehört hatte, setzte er sich daher ins Auto und raste zu dem ausgebrannten Spielzeuggeschäft. Und siehe da: Wie auf einem Flohmarkt wurden auf dem vorgebauten Parkplatz jene Spielsachen, die den Brand einigermaßen heil überstanden hatten, zu Spottpreisen verkauft – darunter auch jede Menge Barbies.

Mein Vater nahm jede Barbie mit, die nicht aussah wie ein weißer Sternsinger in Blackface, und eilte mit voller Plastiktasche am Beifahrersitz schnurstracks wieder nach Hause. Als ich ihn durch die Haustür kommen sah, traute ich meinen Augen kaum. Jedes Mal, wenn ich glaubte, das wäre nun endgültig die letzte, holte er noch eine Barbiepuppe aus der Tasche: Pocahontas-Barbie, Gymnastik-Barbie, Meerjungfrau-Barbie – sie alle gehörten jetzt mir allein. An diesem Abend schrieb ich meinen ersten Brief an Gott, in dem ich mich für die schreckliche Katastrophe im Spielwarengeschäft bedankte. Ich platzierte den Zettel am Fensterbrett und legte noch einen grünen Apfel dazu – für den Fall, dass Gott Hunger hatte. Am nächsten Morgen waren sowohl Brief als auch Apfel weg. Gott hatte mich erhört.

Ich musste mich allerdings etwas gedulden, bis ich tatsächlich mit meinen neuen Barbies spielen durfte: Obwohl sie nicht verkohlt waren, hatten sie immerhin einen Großbrand überlebt und waren allen möglichen Rauchgasen ausgesetzt gewesen. Dementsprechend stark rochen sie auch nach geschmolzenem Plastik und Erdöl; mit ihrem bestialischen Gestank verpesteten sie binnen wenigen Minuten jeden noch so gut belüfteten Raum. Wir ließen sie zwei Wochen lang auf der Veranda an der frischen Luft ausrauchen – nachts bestand ich natürlich darauf, sie ins Haus zu holen, damit ihnen ja nichts passierte, und drückte ihnen meine gewohnten Gute-Nacht-Küsse auf ihre stinkenden Köpfe. Trotz dieser Freiluftkur verloren die Barbies nie so ganz ihren eigentümlichen Dieselgeruch, ich aber war über Nacht zum glücklichsten Kind im Zehnerviertel geworden.

Od kolevke pa do groba, najlepše je đačko doba!
(Von der Wiege bis zur Bahre, am schönsten sind
die Schultage!)[24]

Daran erinnerte mich mein Vater mit seinem erhobenen krummen Zeigefinger, wenn ich ausnahmsweise mal unter den Hausaufgaben ächzte, die uns Herr Fleischhauer aufgegeben hatte.

Ich war soeben in die Volksschule gekommen. Mein Schulgebäude befand sich nur wenige Schritte von unserem Haus ent-

24 Frei auf Deutsch übersetztes Zitat des Journalisten und Schriftstellers *Duško Radović*, der in der Schule offensichtlich nie gemobbt worden ist.

fernt und sah aus wie ein günstiger Ableger von Schönbrunn. Nur einen Tag nach meiner Einschulung verpasste mir meine Mutter gleich eine saftige Ohrfeige: Ich hatte in der Schule vorgetäuscht, Bauchweh zu haben, und mich jedes Mal mit schmerzverzerrtem Gesicht wie ein Regenwurm gewunden, wenn Herr Fleischhauer in meine Richtung geblickt hatte. Ich hatte einfach keine Lust gehabt, den ganzen Tag in einem stickigen Klassenzimmer neben irgendwelchen Kindern zu sitzen, die ich nicht kannte, sondern wollte lieber zu Hause mit meinen neuen Barbiepuppen spielen.

Der erste Schultag hatte mir zwar gut gefallen: Meine Eltern hatten mich begleitet – mein Vater war zwar die meiste Zeit alleine in einer Ecke gestanden und hatte mit seinem gewaltigen Fotoapparat von alles und jedem ungefragt Fotos gemacht –, Herr Fleischhauer hatte eine Rede gehalten, dass wir die Zukunft der Gesellschaft seien, und es gab Süßigkeiten. Doch warum ich am nächsten Morgen wieder in die Schule sollte, ging mir einfach nicht in den Kopf.

Nachdem mich mein Vater am zweiten Schultag also vorzeitig von der Schule abgeholt und ich mich von meinen plötzlich aufgetretenen Bauchschmerzen genauso plötzlich wieder erholt hatte, sahen wir beide keinen Grund, weshalb ich nicht ein wenig mit meinen neuen Barbies spielen sollte – es ergab auch einfach keinen Sinn mehr, noch zurück zur Schule zu gehen, es war bereits nach Mittag, und die Schulglocke würde ohnehin bald läuten. Außerdem war morgen auch noch ein Tag.

Als meine Mutter von der Arbeit bei Renate nach Hause kam, fand sie mich am Wohnzimmerteppich zwischen meinen Barbiepuppen herumkullernd vor. Mein Vater begrüßte sie munter vom Sofa aus, wo er sich ausgebreitet hatte, um wieder einmal in seiner Bibel zu blättern. Seine Deutschlernhefte hatte er inzwischen endgültig gegen diesen Klassiker getauscht – er meinte, in der Bibel stehe ohnehin alles drin, was er wissen müsse. Ich glaube, nicht einmal der Papst hat die Bibel so oft gelesen wie er – und dabei schien er nicht einmal besonders gläubig zu sein. Wenn ich ihn fragte, ob er an Gott glaube, bewegten sich seine Antworten meistens irgendwo zwischen »Koji Bog bi dozvolio toliko jada na svetu?« (»Was für ein Gott würde so viel Leid auf der Welt zulassen?«) und »Pa možda ipak postoji neki kurac« (»Na ja, vielleicht gibt es ja doch einen Schwanz«[25]). Trotz dieser scheinbaren Skepsis sah sein Bibelexemplar aus, als hätte es mehrere Erdbeben, Überschwemmungen und andere Naturkatastrophen überlebt: Der einst schwarze Buchumschlag hatte mittlerweile eine gräuliche Farbe angenommen, die hauchdünnen Seiten waren abgegriffen und voller winziger Kritzeleien, die nicht einmal er selbst noch entziffern konnte. Auch der Buchschnitt glich mittlerweile einem bunten Plastikrasen: Um möglichst schnell seine Lieblingspassagen parat zu haben, hatte mein Vater auf jeder Seite zumindest einen der kleinen Klebezettel angeheftet, die als Geschenkbeilagen in einem von Sebastians alten Micky-Maus-Heften gewesen waren. Je älter ich wurde, desto öfter zitierte er diese Bibelstellen, brachte sie aber meistens in einen völlig falschen Kontext oder versuchte damit so manch dubiose Ansicht zu stützen, die er einst wohl auch selbst als veraltet verworfen hätte – wie etwa, warum man Frauen niemals trauen sollte. Seine Predigten beendete er stets mit einer bedeutungsvollen Stille, wobei er meiner Mutter und mir tief in die Augen blickte. Unser Schweigen deutete er als ehrfürchtige Zustimmung, in Wirklichkeit waren wir einfach nur verstört.

25 In diesem Kontext bedeutet das: »Vielleicht gibt es ja doch irgendetwas.«

Im Gegensatz zu meinem Vater brauchte meine Mutter nur wenige Sekunden, um mich und meine Lügengeschichte über die Bauchschmerzen zu entlarven. Da sie wohl wusste, dass ich mir meines Fehlverhaltens bewusst und keine Lektion notwendig war, gab es nicht viel zu sagen. Sie machte kurzen Prozess, gab mir eine links und eine rechts, und die Sache war erledigt. Am nächsten Tag ging ich ohne Widerrede zur Schule.

Da ich dank meines arbeitslosen Vaters bereits einigermaßen lesen und schreiben konnte, hatte ich anfangs auch keine Schwierigkeiten, dem Unterricht zu folgen. Ich entdeckte die Freude am Lernen von Dingen, die ich bereits gelernt hatte. Auch Herrn Fleischhauer schien zu gefallen, wie ich mit dem Bleistift zwanzigmal hintereinander den Buchstaben G in mein Schulheft schreiben konnte; obwohl ich es mir nicht anmerken ließ, freute ich mich jedes Mal darüber, wenn er mich vor den anderen Schülern lobte. Dass Herr Fleischhauer irgendetwas für gut befand, war nämlich eine Seltenheit. Er sah nicht nur aus, als wäre er einem Kinderroman von Erich Kästner aus den 1950ern entsprungen: Jeden Tag hing dasselbe abgetragene Tweed-Sakko an seinen breiten Schultern, das er immer vergeblich zuzuknöpfen versuchte, wenn er sich von seinem Holztisch erhob, um mit der Kreide etwas an die dunkelgrüne Tafel zu schreiben. Nur seine Polohemden wechselte er täglich – sie hatten alle denselben ausgewaschenen Rotstich. Seine Rede, die er am ersten Schultag gehalten hatte, war rückblickend betrachtet auch sein einziger enthusiastischer Moment in dem Klassenzimmer gewesen. An jedem anderen Tag redete er mit uns, als wären wir fünfzigjährige Teilnehmer eines Abendseminars über Projektmanagement am BFI und nicht siebenjährige Kinder. Egal, ob er schimpfte, lobte oder uns einfach nur erklärte, wie man zwei und zwei addiert – in seiner Stimme schwang immer dieselbe existenzialistische Langeweile mit.

Die anderen Eltern schimpften zwar über Herrn Fleischhauer – seine Lehrmethoden seien veraltet, und er sei pädagogisch wertlos –, ich aber mochte seine unaufgeregte Art. Außerdem fand ich jedes Mal, wenn er uns die korrigierten Hausaufgaben zurückgab, einen Stempel in meinem Heft. Herrn Fleischhauers Stempelsystem war einfach, klar und erschien mir fair: Wenn man nur einen Fehler gemacht hatte, gab es einen großen Goofy-Stempel, der einem »Sehr gut« gleichkam. Wer jede Aufgabe richtig gelöst hatte, bekam neben einem »Ausgezeichnet!« auch noch eine Micky Maus obendrauf. Für jegliche Mehrleistung (wie etwa eine Zierzeile oder für eine besonders sorgfältige Handschrift) wurde man mit einem großen Orang-Utan belohnt und bei einer exzellenten Hausübung (etwa, weil man eine freiwillige Zusatzaufgabe gelöst hatte) wurde man manchmal sogar von einem Glitzersticker überrascht.

Wenn ich eine Micky Maus in meinem Hausübungsheft vorfand, fühlte ich mich den ganzen Tag über beflügelt. Sobald die Schulglocke läutete, sprintete ich aus dem Schulgebäude und rannte so schnell wie möglich die Gasse bis zu unserem Haus entlang, während mich die munter auf und ab hüpfenden Stifte in meiner Schultasche wie eine 1,20 Meter große Dampflokomotive klingen ließen. Bereits aus der Ferne konnte ich meinen Vater erspähen, der am Fensterbrett lehnte und mich mit einem sanften Lächeln und einem »Hej, sinčić« (»Hey, Söhnchen«) empfing. Noch vom Gehsteig aus rief ich ihm durch das offene Fenster zu, wie viele Stempel ich heute in der Schule bekommen hatte.

Je mehr Stempel ich nach Hause brachte, desto glücklicher war mein Vater. Während er mich lobte, gab er mir jedes Mal einen Kuss auf die Stirn, vergaß jedoch nie zu erwähnen, dass ich mich nicht zu lange über meinen Erfolg freuen solle. Von einem Moment auf den anderen verschwand das Lächeln von seinem Gesicht, die kaum merkbaren Freudentränen in seinen Augen trockneten, und seine Stirn legte sich in besorgte Falten. »Seti se priče o kornjači i zecu.« (»Erinnere dich an die Geschichte von der Schildkröte und dem Hasen.«) Wenn ich mich zu lange auf meinen Lorbeeren (oder in meinem Fall: Stempeln) ausruhte, liefe ich Gefahr, wie der arrogante Hase zu enden, der im Wettrennen gegen die Schildkröte zwar einen schnelleren Start hingelegt hatte, letztlich aber wider alle Erwartungen von ihr überholt wurde, weil er sich eine Verschnaufpause gegönnt hatte. »A još si uz to stranac, znači moračeš duplo više da radiš da bi te možda jednog dana prihvatili.« (»Und noch dazu bist du Ausländer, das heißt, du wirst doppelt so viel machen müssen, damit sie dich eines Tages vielleicht akzeptieren.«)

Ich stellte mir vor, wie mich sogar Fritz überholte, der mit Abstand schlechteste Schüler in meiner Klasse, der nicht einmal den Unterschied zwischen einem V und einem W begreifen konnte. In der vierten Klasse schoss ich im Turnunterricht einmal mit voller Wucht einen Fußball zwischen seine Beine, woraufhin er augenblicklich zu Boden ging und in Tränen ausbrach. Herrn Fleischhauer, der das Spiel sofort abpfiff und mich zur Rede stellte, konnte ich irgendwie davon überzeugen, dass es sich um einen Unfall handelte. In Wirklichkeit wollte ich schlicht mit eigenen Augen sehen, ob es tatsächlich stimmte, dass man mit dieser Methode Buben außer Gefecht setzen konnte. Dank Fritz hatte ich endlich Gewissheit.[26] Bei dem Gedanken, dass er mehr Stempel bekam als ich, überkam mich dennoch ein Schauder, und ich setzte mich sofort daran, die Rechen- und Schreibaufgaben zu lösen, die uns Herr Fleischhauer für den nächsten Tag aufgegeben hatte. Die Barbies konnten warten.

26 Lieber Fritz, solltest du das hier zufällig lesen: Es tut mir wirklich leid.

Während ich am Küchentisch saß und geschäftig in mein Hausaufgabenheft kritzelte, setzte sich mein Vater oft zu mir. Dabei zog er seinen Sessel so leise vom Tisch weg, dass ich nicht einmal bemerkte, wenn er sich mir näherte. Er war an sich immer ein sehr lauter Mensch gewesen (er ist das Sandwichkind zwischen vier Brüdern), und mit steigendem Alter und zunehmender Schwerhörigkeit wurden die Geräusche nicht unbedingt leiser, die er von sich gab. Selbst wenn er flüsterte, erreichte er vermutlich immer noch mehr Dezibel als andere Menschen, wenn sie in Zimmerlautstärke sprachen. Demnach schreckte ich spätestens in dem Moment aus meinem Sessel hoch, wenn er mich mit der allersanftesten Stimme fragte, die er draufhatte: »A šta to pišeš, sinčić?« (»Was schreibst du denn da, Söhnchen?«) Mit weit aufgerissenen Augen blickte er auf die Heftseite, auf die ich gerade zehnmal hintereinander »Mimi hilft ihrer Mutter in der Küche« geschrieben hatte, und fragte mich, was das bedeute. Ich übersetzte es ihm. »Kod tebe sve to izgleda tako lako« (»Bei dir sieht das alles so einfach aus«), murmelte er gedankenverloren.

Eines Nachmittags setzte er sich wieder zu mir an den Küchentisch. Ich war gerade dabei, meine Deutschhausübung zu schreiben, doch anders als sonst schob er dieses Mal den Sessel neben mir nicht leise zurecht, sondern ließ sich mit einem lauten Geräusch darauf fallen und deutete mir hektisch, ihm zuzuhören. Er wirkte aufgeregt. »Hajde da me naučiš malo nemačkog« (»Komm, bring mir ein bisschen Deutsch bei«), schrie er mir ins Ohr.

Da ich sowieso nichts anderes zu tun hatte, als zehnmal hintereinander denselben Satz in mein Heft zu schreiben, hielt ich das für gar keine so schlechte Idee. So einigten wir uns nach nur wenigen Momenten per Handschlag darauf, dass ich ihm von nun an die Sätze übersetzen sollte, die uns Herr Fleischhauer als Schreibübung aufgab, und er die Wörter, die er nicht kannte, in ein kleines Notizbuch schreiben würde. Außerdem wollte er, dass ich nur noch Deutsch mit ihm sprach, wenn wir spielten oder kochten.

Während der ersten Wochen, die auf unseren Deal folgten, hielt ich mich an meinen Teil des Versprechens: Wenn mein Vater und ich wieder einmal Simba und Mufasa spielten und ich auf dem Teppich herumhüpfte, rief ich ihm nun stattdessen auf Deutsch zu: »Pass auf, da ist eine Schlange im Gebüsch!« Bis er jedoch verstanden hatte, was ich meinte, hatte uns die Schlange nicht nur bereits zehnmal vergiftet, sondern waren wir auch von einem Hyänenrudel überfallen worden. Daher ließen wir das mit dem Deutschsprechen zumindest beim Spielen vorerst.

Doch bald wollte ich das auch während meiner Hausaufgaben nicht mehr. Es störte mich zwar nicht, wenn mein Vater neben mir saß und hin und wieder meine Handschrift komplimentierte, doch seitdem ich angefangen hatte, ihm jedes einzelne Wort zu übersetzen, das ich in mein Heft schrieb, dauerte es nicht nur mindestens doppelt so lang, bis ich meine Schultasche in eine Ecke werfen und endlich zu meinen Barbiepuppen ins Wohnzimmer laufen konnte. Weil ich viel unkonzentrierter geworden war, schlich sich nun auch immer wieder der eine oder andere Fehler in meine Hausaufgaben. Statt eines Orang-Utans fand ich öfter bloß einen Micky-Maus-Stempel in meinem Hausübungsheft. Ich konnte bereits vor mir sehen, wie mich Fritz triumphierend mit seinem Zeugnis in der Hand auslachte.

Diese Bedenken konnte mein Vater natürlich nachvollziehen: Keiner von uns wollte, dass meine schulischen Leistungen nachlassen und mich Fritz womöglich tatsächlich noch überholt. Außerdem betonte Renate inzwischen immer öfter, wir wären nicht wie die anderen Ausländer, wir würden zu den Guten gehören und dass wir sogar Chancen auf die österreichische Staatsbürgerschaft hätten, wenn wir so weitermachten. Diesen Startvorteil wollten wir natürlich nicht verspielen.

Ich wollte unbedingt Staatsbürgerin werden. Wenn wir erst einmal die österreichische Staatsbürgerschaft hatten, konnte uns niemand mehr irgendwohin abschieben. Wir einigten uns daher darauf, dass ich nicht nur weiterhin versuchen sollte, einen möglichst positiven Eindruck bei Herrn Fleischhauer zu hinterlassen, sondern auch keinen Kindern mehr zwischen die Beine zu treten. Zu oft hatte uns Renate von den verhaltensauffälligen Ausländerkindern in ihrer Schule erzählt; ich musste aufpassen, nicht versehentlich eines von ihnen zu werden. Meine Mutter würde einstweilen nach einem Nebenjob suchen, der einigermaßen ihrer Ausbildung entsprach, und an ihren Deutschkenntnissen arbeiten. Mein Vater sollte weiterhin zu Hause bleiben und sich unauffällig verhalten; um ihn wollten wir uns später kümmern.

In der Schule versuchte ich einstweilen, noch besser aufzupassen als bisher. Jedes einzelne Wort, das über Herrn Fleischhauers dünne Lippen kam, sog ich auf wie ein Schwamm: »Ein Tischler hobelt viele Bretter. Der Maurer hat immer viel Arbeit. Aus Ziegeln baut man Häuser. Die Bauarbeiter können ohne Sand kein Haus bauen«, diktierte er, und wir schrieben fleißig mit. Bald konnten mich nicht einmal mehr »das« und »dass« aus der Fassung bringen, und ich erhielt bei jedem Diktat die volle Punktezahl. Die Schularbeiten bereiteten mir keine großen Schwierigkeiten, und auch meine Hausübungen waren nicht mehr nur perfekt, sie waren: »Ausgezeichnet!«, »Fabelhaft!« oder »Fantastisch!« Mein Heft quoll über vor Orang-Utans und Glitzerstickern, und ich schrieb ausschließlich Einser.

Wenn ich von der Schule nach Hause kam und mein Vater am Fenster auf mich wartete, begrüßte er mich gar nicht mehr mit einem »Kako je bilo u školi?« (»Wie war es in der Schule?«), sondern fragte stattdessen einfach nur: »Koliko pečata?« (»Wie viele Stempel?«)

Ich löste nicht nur jede einzelne Aufgabe richtig, die uns Herr Fleischhauer aufgab, sondern übertraf mich sogar regelmäßig selbst bei den Zierzeilen, mit denen ich jede Hausübung abschloss und die mittlerweile exorbitante Ausmaße angenommen hatten. Die Zeichnungen, die ich bisher in meiner Freizeit in Papierblöcke von der SPÖ oder FPÖ gekritzelt hatte, übersiedelte ich nun einfach in meine Schulhefte. Über mehrere Seiten zogen sich nun kleine Menschen, bunte Vögel und andere Tiere, die spielten, kämpften oder einfach nur nebeneinander existierten.

Ich ging mittlerweile richtig gern zur Schule. Mir gefiel, dass jeder Tag gleich ablief, die Schulglocke immer um dieselbe Uhrzeit läutete und ich meinen festen Sitzplatz hatte. Ich mochte es, dass diese Welt ganz klare Regeln hatte: Auf A folgte B, und auf B folgte C, hie und da kam zwar auch ein scharfes ß dazwischen, aber im Grunde folgte alles einer klaren Logik. Ich erinnerte mich daran, was mein Vater immer gesagt hatte: »Sve šta kaže mozak, ruka mora da napravi.« (»Alles, was das Hirn befiehlt, muss die Hand ausführen.«) Wenn mir das gelang und ich alles richtig machte, bekam ich nicht nur einen Glitzersticker, sondern, wer weiß, vielleicht auch eines Tages die österreichische Staatsbürgerschaft.

Herr Fleischhauer war begeistert von meiner Entwicklung und vor allem von meinen Schulheften. Eines Nachmittags rief er daher meine Mutter zu sich in die Klasse. Meine Volksschulzeit neigte sich langsam dem Ende zu, bald musste ich in eine höhere Schule wechseln. Herr Fleischhauer wollte von meiner Mutter wissen, ob er vielleicht meine alten Hefte behalten durfte – er habe noch nie ein derart sorgfältig geführtes Schulheft gesehen und wollte sie im kommenden Herbst seiner neuen Klasse als Ansporn zeigen. Außerdem wollte er die Gelegenheit nutzen, um mit meiner

Mutter zu besprechen, wie die Reise für mich nach der Volksschule weitergehen würde.

Für meine Eltern war schon lange klar, dass ich aufs Gymnasium gehen sollte – sie hatten in den letzten Jahren hautnah miterlebt, wie sehr Renate ihren Job als Hauptschullehrerin verabscheute. Sie hatte kaum eine Gelegenheit verpasst, um über ihre Schüler zu schimpfen, die ihrer Meinung nach nur deshalb kein Deutsch konnten, weil sie strunzdumm waren. Meine Eltern hofften auf motiviertere Lehrer im Gymnasium. Umso überraschter war meine Mutter, als Herr Fleischhauer ihr widersprach: »Ihre Tochter ist zwar in der *Volksschule* die Klassenbeste, ich denke aber, dass es klüger wäre, wenn sie sicherheitshalber eine Hauptschule besucht. Immerhin ist Deutsch ja nicht ihre Muttersprache.«

Teil 2

VERSTECKEN

Eckbankgruppe

Meine Eltern hatten mich immer davor gewarnt, mit Sebastian zu spielen – vor allem mein Vater hatte nie ein großes Geheimnis daraus gemacht, dass er dieses Kind nicht ausstehen konnte: Immerhin hatte Sebastian bereits mehrere Kleintiere ermordet. Außerdem hatte niemand von uns je auch nur einen seiner Freunde gesehen. Doch obwohl er vier Jahre älter war und ich Angst vor ihm hatte, war er lange Zeit das einzige Kind in der Nachbarschaft, das ich kannte; wenn mein Vater nicht aufpasste, schlich ich daher immer wieder durch die Verbindungstür in Renates Haus hinüber, in der Hoffnung, doch noch einen Spielgefährten in ihm zu finden.

Im Wohnzimmer erwartete mich Sebastian jedes Mal bereits mit seinem breiten Grinser, der nichts Gutes versprach und seine spitz zulaufenden Zähne in ihrer vollen gelben Pracht offenbarte. Sein Lieblingsspiel war Verstecken. Dafür drehte er alle Lichter im Wohnzimmer ab und zog die dicken Jalousien an der langen Glasfront herunter. Sobald es stockfinster war, ging das Spiel los. Ich hatte zehn Sekunden.

Während Sebastian langsam zählte, kauerte ich mich unter die Eckbank aus Kiefernholz von *Leiner*, wo wir sonst jeden Samstag mit Renate Schnitzel aßen. Von dort aus hatte ich seine dunkle Umrisse gut im Blick. Während er am Teppichboden herumschlich, knurrte er manchmal wie ein wildes Tier. Hin und wieder flüsterte er: »Ich weiß, wo du dich versteckst.« An seiner Stimme konnte ich erkennen, dass er lächelte. Mein Herz klopfte so laut, dass ich Sorge hatte, es würde mir jeden Augenblick aus der Brust springen und mein Versteck verraten. Diese Sekunden unter der Holzbank fühlten sich an wie Jahre.

Sobald sich Sebastians und mein Blick getroffen hatten, verwandelte sich sein sanftes Lächeln in schrilles Gelächter. Auf allen vieren stürzte er auf mich zu und zerrte mich aus meinem Versteck. Er zwickte mich so fest und so lange, bis ich anfing, laut zu weinen, sodass mich mein Vater im Nebenhaus hörte.

Dom Revolucije (Haus der Revolution)

Meine Mutter ist in einer Kleinstadt in Montenegro aufgewachsen, die trotz ihrer niedrigen Einwohnerzahl die zweitgrößte Stadt des zweitkleinsten Nachfolgestaates Ex-Jugoslawiens bildet und heute vor allem für ihr Bier bekannt ist: Nikšić.

Trotz der für einen kleinen Staat wie Montenegro großen Entfernung zur Adriaküste, verlaufen sich auch heute hin und wieder ein paar junge Touristen auf ihrer Balkantour in die Nikšićer Innenstadt. Während die Einheimischen mit raschen Schritten und langer Parfümspur den Corso auf und ab spazieren, immer auf der Suche nach einem freien Tisch in einem der gut besuchten Cafés, die zu jeder Tages- und Nachtzeit eine andere durstige Klientel bedienen, bewegen sich die Touristen stets nur in kleinen Grüppchen und ganz vorsichtig voran. Meistens verraten sie aber bereits ihre Analogkameras, die sie mit festem Griff umklammert an ihren Körper drücken – kein Montenegriner würde sich je freiwillig für eine derart veraltete Technologie entscheiden. Und sonst entlarvt man sie spätestens an ihren modischen Entscheidungen: Im

Gegensatz zu den sorgfältig manikürten Fingernägeln, perfekt geschnittenen Kleidern oder den frisch rasierten Haaren (samt makellosen Übergängen) sehen die britischen und deutschen Touristen regelrecht verwahrlost aus. Noch bevor sie in vorsichtigem Englisch nach dem Weg fragen, kann man an ihren verlorenen Gesichtsausdrücken getrost vermuten, dass sie auf der Suche nach der einzigen für westliche Touristen interessanten Sehenswürdigkeit in der Nikšićer Innenstadt sind: dem *Dom Revolucije* (*Haus der Revolution*).

Dieses gescheiterte Bauprojekt bildet das ideale Motiv für jeden, der die postkommunistische Armutsästhetik in einem einzigen Bild einzufangen sucht. Wie kaum ein anderes Gebäude in der Region bringt wohl das *Haus der Revolution* den Satz »Ich will, aber ich kann nicht« auf den Punkt. In den späten Siebzigern als Kulturzentrum entworfen, sollte das *Haus der Revolution* nicht nur an die gefallenen Partisanen im Zweiten Weltkrieg und ein vereintes Jugoslawien erinnern, sondern auf 20 000 Quadratmetern auch ausreichend Platz für ein Kino, Amphitheater, Konferenzräume, Galerien, Restaurants, Cafés und ein Jugendzentrum bieten. Wegen der ökonomischen und politischen Lage im ehemaligen Jugoslawien hat es die sozialistische Utopie allerdings nie über ihr Rohbauskelett hinaus geschafft. In der beständigen Hoffnung auf seine etwaige Fertigstellung niemals abgerissen, bleibt vom *Haus der Revolution* heute nichts als eine brutalistische Ruine mit ein paar wenigen intakten Fensterscheiben, die noch nicht eingebrochen und in ein leuchtend blaues Kristallmeer auf dem staubigen Betonboden zusammengeflossen sind.

Obwohl diese in sich zusammenstürzende Stahl- und Betonwüste schon mindestens dreizehn Menschen das Leben gekostet haben soll und deshalb von den Einheimischen auch gerne *Dom Smrti* (*Haus des Todes*) genannt wird, hält das abenteuerdurstige

Touristen aus wohlhabenden Ländern nicht davon ab, zwischen Obdachlosen und Heroinabhängigen nach dem perfekten Fotomotiv zu suchen.

Dom Smrti (Haus des Todes)

Baba Hajdana, meine Großmutter, trägt schon fast ihr ganzes Leben lang ausschließlich Schwarz. Lediglich zum Schlafen zieht sie bunte Pyjamas mit lustigen Aufschriften oder niedlichen Tiermotiven von *C&A* an, die ihr meine Mutter jeden Sommer aus Wiener Neustadt mitbringt. Bevor sich Baba Hajdana unter die braungemusterte Wolldecke legt, überzieht sie den dunkelroten Samtbezug noch mit einem Leintuch. Ich habe sie noch nie in einem richtigen Bett liegen gesehen – seit Jahren schläft sie lieber am Sofa im Wohnzimmer. Von dort aus kann sie ihre liebsten türkischen Serien besser verfolgen, bis sie schließlich erschöpft vom Lesen der vielen dramatischen Dialoge in den kleinen Untertiteln zum sanft flackernden Licht des Röhrenfernsehers einschläft: Sie meint, durch diese Serien lerne man viel über Menschen und ihre hinterlistigen Intrigen.

Über dem Sofa hängt noch immer die eingerahmte Urkunde, mit der mein Großvater 1982 zum Arbeiter des Jahres im Stahlwerk Nikšić geehrt wurde. Gleich daneben zieren zwei weitere Goldrahmen die vom Holzofen mittlerweile braun vergilbte Wand (der Maler verschiebt seit einem Jahr den geplanten Ausmaltermin): Im ersten Rahmen sieht man eine Schwarzweißaufnahme von einem ernst dreinblickenden Jungen mit einem Cowboyhut, der auf einem Schaukelpferd sitzt. Aus Erzählungen weiß ich, dass es sich bei dem Jungen um Mijo handelt, ihren ersten Sohn. Kurz nachdem Mijo dieses Holzpferd zu seinem fünften Geburtstag geschenkt bekommen hatte, ist er an Leukämie gestorben. Gleich daneben hängt ein weiteres, neueres Farbfoto: Es zeigt meinen Onkel Rade mit seinem breiten, fast schon mondrunden Gesicht, über das sich ein fast noch breiteres Lachen zieht. Auch er ist mittlerweile tot: Da er im falschen Land an Corona erkrankt ist, kämpfte er im Nikšićer Krankenhaus drei Wochen lang umsonst um sein Leben. Zumindest durfte ihn Baba Hajdana vierzig Jahre länger behalten als ihren ersten Sohn.

Heute lebt sie ganz allein in dem Haus, das einst ihre gesamte Familie beherbergte. Die Kinder, die nicht gestorben sind, sind schon vor vielen Jahren ausgezogen – manche sogar in andere Länder, wie meine Mutter. Auch mein Großvater, Đed Milutin[1], lebt schon lange nicht mehr hier: Die selbstgerollten Zigaretten mit dem duftenden Tabak, die er jeden Tag reihenweise inhaliert hat, um sich nach der dritten Schicht in der Stahlfabrik von den giftigen Metalldämpfen zu erholen, haben ihn vor knapp zwanzig Jahren auf den Friedhof in Nikšić befördert. Unter einer schwarzen Granitplatte mit goldener Aufschrift sind dort heute alle Männer der Familie vereint.

Baba Hajdana würde das Haus gerne verkaufen, allerdings meint sie, der Erlös würde gerade mal für einen Strick ausreichen, mit dem sie sich selbst erhängen könnte. Der Großteil der Bewohner dieser einst beliebten Arbeitersiedlung ist mittlerweile weggezogen; geblieben sind nur die Kriminellen, die mit Drogen handeln, sowie die wenigen Alten, die Corona überlebt und keine Kraft haben, sich woanders ein neues Zuhause aufzubauen. Wie Baba Hajdana leben auch sie allein in ihren verlassenen Häusern und warten im Takt des linearen Fernsehens darauf, endlich zu sterben.

1 Đed heißt Großvater.

Eine von ihnen ist die nervige Ruža. Wenn sie nicht gerade ihre Zahnprothese laut kauend zwischen ihren Backen hin und her schiebt, bis man vor Übelkeit am liebsten den Raum verlassen möchte, drischt sie ohne Punkt und Komma Reden wie ein Kommunalpolitiker – niemand versteht, worüber sie eigentlich spricht. Jeden Morgen steht sie um 10 Uhr morgens erwartungsvoll im Wohnzimmer meiner Großmutter, bereit für ihren ersten gemeinsamen Kaffee des Tages.

Meine Großmutter hat Ruža noch nie gemocht – nicht nur sei sie immer schon unhöflich gewesen und habe auch abseits ihrer Kaugewohnheiten keine Manieren. Baba Hajdana weiß außerdem ganz genau, warum Ruža so oft zu ihr kommt und vor allem im Winter den halben Tag bei ihr im Wohnzimmer verbringt: Sie will Holz sparen. Warum sonst würde sie stundenlang im Wohnzimmer meiner Großmutter an ihrem kleinen Tässchen Kaffee nippen und sich stets ausgerechnet auf den unbequemen Hocker neben dem Holzofen setzen?

An Tagen, an denen der Schmerz über die zwei verlorenen Söhne zu groß ist, sperrt Baba Hajdana manchmal ihre Haustür ab und tut so, als wäre sie nicht zu Hause. Sobald sie das quietschende Gartentor hört, schaltet sie ganz schnell den Fernseher ab, legt sich flach aufs Sofa und wartet, bis Ruža aufhört, an der verschlossenen Tür zu rütteln und nach ihr zu rufen.

Meistens lässt Baba Hajdana die täglichen drei bis vier Stunden mit Ruža jedoch über sich ergehen (nach dem Mittagessen kommt sie auf den zweiten Kaffee) – es bringe Unglück, Gäste zu vergraulen. Außerdem plagt sie das schlechte Gewissen, wenn sie die Tür zu oft absperrt und sich vor ihr versteckt. Auch Ruža hat nämlich ihren einzigen Sohn wegen der Pandemie verloren, und nicht nur das – erst letzte Woche wurde ihr Enkelsohn nur zwei Straßen entfernt mit einer Pistole erschossen, und zwar ausgerechnet vom Enkelkind ihrer Nachbarin. Niemand weiß genau, wie es zu dem Schusswechsel gekommen ist, doch anscheinend waren Drogengeschäfte und Geldstreitereien im Spiel, deretwegen Ruža nun als Einzige ihrer Familie zurückgeblieben ist. Angesichts dieser Verluste befürchtet Baba Hajdana, Gottes Zorn auf sich zu ziehen, wenn sie Ruža ausgerechnet jetzt, nach all den Jahren der ungewollt gemeinsam verbrachten Zeit, den Besuch verweigert. Während Ruža auf dem roten Samtsofa stundenlang ihrem toten Sohn und Enkel nachweint, sitzt Baba Hajdana daher meist schweigend neben ihr und schaut einfach den Teil der türkischen Serie nach, den sie nachts verpasst hat, weil sie eingeschlafen ist. Sie will nicht schon wieder mit Ruža darüber nachdenken, warum die Jungen sterben und sie nicht.

Wie meine Großmutter fast Dragana Mirković geworden wäre[2]

Als meine Mutter zur Welt kam, sah die Nachbarschaft noch ganz anders aus. Nikšić war gerade im Begriff, sich zu einem bedeutenden Industriestandort zu entwickeln: Mehr und mehr Unternehmen ließen sich in dem Städtchen nahe dem Berg Trebjesa nieder, die Einwohnerzahl stieg rasant, und neue Wohnungen schossen wie Pilze aus dem Boden. In der *Željezara Nikšić* (Stahlwerk Nikšić) wurden jeden Tag zig Tonnen Eisen und Stahl erzeugt, die in alle Ecken Jugoslawiens verbracht wurden. Die Fabrik bot unzähligen Menschen in der Region nicht nur eine willkommene Alternative

2 *Dragana Mirković* gehört zu den berühmtesten serbischen Folk- und Popmusiksängerinnen. Heute lebt sie mit ihrer Familie in einem imposanten Schloss aus dem 16. Jahrhundert in der Nähe von Wiener Neustadt.

zur Landwirtschaft und einen sicheren Arbeitsplatz, sondern auch moderne Unterkünfte in den neu entstandenen Arbeitersiedlungen. Unter ihnen waren auch meine Großeltern.

Das Haus, in dem Baba Hajdana heute noch lebt, war für damalige Verhältnisse von beinahe herrschaftlicher Größe: Neben einem kleinen Vorgarten zum Anbau von Gemüse, einer Küche, einem Wohnzimmer und einem Badezimmer mit Warmwasseranschlüssen boten die zwei Schlafzimmer zudem ausreichend Platz für die Fabrikarbeiter und ihre Familien. Ein weißer Holzofen sorgte für ein beheiztes Wohnzimmer im Winter, wenn von den umliegenden Bergen eisige Winde auf die Stadt herunterbliesen, und eine kleine schattige Veranda für Abkühlung in den mediterran heißen Sommern. Dank der identen Grundrisse konnte das Zusammengehörigkeitsgefühl der tüchtigen Stahlarbeiter auch nach Ende ihrer Schicht in der Fabrik in ihren eigenen vier Wänden weiterwachsen. In der Arbeitersiedlung waren somit zumindest alle gleich arm.

Der Kommunismus hatte meinen Großeltern Türen geöffnet, von deren Existenz sie bis dahin nicht einmal gewusst hatten. Mein Großvater war sogar lange Zeit überzeugtes Mitglied der kommunistischen Partei gewesen, doch war es vor allem Baba Hajdana, die den Kommunisten dafür dankbar war, ein sicheres Dach über dem Kopf zu haben und ihre Kinder zur Schule schicken zu können – für all das schien es ihr ein kleines Opfer, auf ihren Glauben zu verzichten. Heute verflucht sie Tito und meint, er sei ein Idiot gewesen.

Baba Hajdana hatte ein turbulentes Leben: Kurz nach ihrer Geburt im Kosovo war ihre Mutter bei einem Arbeitsunfall ums Leben gekommen – während eines Holztransports hatte sich die Ladung von der Pferdekutsche gelöst und sie unter sich begraben. Die Mutter konnte zwar noch lebend geborgen werden, erlag allerdings wenige Wochen später ihren Verletzungen. In dieser kurzen

Zeit hatte sich keiner der Angehörigen getraut, ihr Baba Hajdana zum Stillen an die Brust zu legen – zu groß war die Angst, die Sterbende könnte ihr Neugeborenes in einem unbeaufsichtigten Moment ersticken, um ihm ein mutterloses Schicksal zu ersparen. Heute macht das Baba Hajdana mit den Babykatzen, die sie fast jeden Frühling in einer der dunklen Ecken im Keller vorfindet. Da die Katzenmütter nur in den allerseltensten Fällen zu ihrem Wurf zurückkommen, packt sie die neugeborenen Fellkügelchen meistens in einen Stoffsack und wirft ihn fest verschlossen in den nahegelegenen Fluss. Die Straßenkatzen hier werden außerdem sowieso meistens noch vor Vollendung ihres ersten Lebensjahres von einem Auto überfahren.

Kurz nach dem Tod ihrer Mutter wurden Baba Hajdana und ihre verbliebene Familie aus Kosovo vertrieben. Der Zweite Weltkrieg war soeben ausgebrochen – die Faschisten hatten ihr Haus angezündet und das Vieh erschlagen. Gemeinsam mit ihrem Vater und ihren zwei älteren Brüdern floh Baba Hajdana daher ins benachbarte Montenegro zu ihrer Großmutter. Da sich ihr Vater nicht allein um drei Kinder kümmern konnte, kamen die beiden Brüder ins Armenhaus, während sie noch zu klein war und in die Obhut der Großmutter übergeben wurde. In Montenegro heiratete ihr Vater neuerlich und bekam zwei weitere Kinder – quasi als Ersatz für die Söhne aus seiner ersten Ehe.

Über sich selbst sagt Baba Hajdana immer, sie sei die Schönste in ihrer Nachbarschaft gewesen – das exotische Mädchen aus Kosovo mit den schwarzen Haaren und den grünen Augen. Sie habe sich geweigert, Röcke zu tragen, und stattdessen lieber die Hosen ihrer Brüder angezogen, wofür sie zur Strafe auf getrockneten Maiskörnern knien musste, wenn sie die Stiefmutter dabei erwischte. Außerdem habe sie von allen Kindern am besten zielen können – so gut, dass sie angeblich einen ausgewachsenen Bock mit einem einzigen gezielten Steinwurf zwischen seine Augen erlegt hatte. Auch dafür sei sie ordentlich verprügelt worden.

Obwohl Baba Hajdana als Kind nicht nur schön, sondern auch klug gewesen sein soll, ging sie bloß vier Jahre lang zur Schule, um schreiben und rechnen zu lernen. Ihre Bitte, die Schule über die Pflichtzeit hinaus besuchen zu dürfen, schmetterte ihr Vater mit einer Ohrfeige ab und dem Satz: »Samo kurve idu u školu.« (»Nur Huren gehen zur Schule.«)

Dasselbe sagte zehn Jahre später auch ihr Ehemann und mein Großvater, Đed Milutin, als Baba Hajdana ein Plattenvertrag angeboten wurde. Ein entfernter Verwandter, der bei *Jugoton* arbeitete, der damals größten Plattenfirma Jugoslawiens, war zu Besuch gewesen und hatte meine Großmutter in der Küche singen gehört, während sie für die beiden Männer Kaffee kochte. Ich selbst habe Baba Hajdana noch nie singen gehört – abgesehen von den Fluchliedern, die sie manchmal scheinbar gedankenverloren vor sich hin summt und mit denen sie nicht nur sich selbst, sondern auch alle im Raum Anwesenden zu einem beschämten Lachen nötigt: »Pala baba s graba na šipku i iščašila pičku« (»Die Oma ist vom Baum auf eine Stange gefallen und hat sich die Muschi verstaucht«), hat sie mir immer vorgesungen, als ich klein war und auf ihrem Schoß gesessen bin. So ähnlich wie bei »Hoppe, hoppe, Reiter« schüttelte sie mich dabei im Takt des Reims auf und ab und ließ mich bei »pičku« durch ihre Beine fallen. Manchmal singt sie aber auch für die Wiesel, die nachts die Mülltonne vor ihrer Haustür durchforsten: »Igraj, sviraj, lasice!« (»Tanz, spiel, Wiesel!«), ruft sie dann immer in die Dunkelheit hinaus, während sie in die Hände klatscht – laut Baba Hajdana haben Wiesel nämlich eine große Vorliebe für Musik. Wenn man Glück hat, fangen sie bei diesem Lied sogar an, auf den Hinterbeinen zu tanzen.

Den entfernten Verwandten dürfte die Stimme meiner Großmutter jedoch offenbar derart begeistert haben, dass er kurzerhand meinte, er würde Baba Hajdana sofort unter Vertrag nehmen. Er versprach ihr, sie binnen wenigen Jahren zu einem Folklore-Popstar zu machen. Seine Begeisterung stieß jedoch auf keinen Widerhall – noch bevor Baba Hajdana auch nur ein Wort aus der Küche heraus sagen konnte, hatte ihn Đed Milutin bereits aus dem Haus geworfen. »Meine Frau ist keine Hure!«, rief er ihm noch hinterher, bevor er die Haustür zuknallte.

Statt Folklore-Schallplatten produzierte Baba Hajdana daher Kinder, genau genommen fünf Stück – so wie es sich für eine anständige montenegrinische Frau gehörte. Meine Mutter bekam sie, als sie 21 Jahre alt war, zwei Jahre darauf folgte auch schon die zweite Tochter, Dunja.

Montenegro ist ein kleines Land, in dem Männer nicht Geschirr spülen dürfen; dementsprechend liebt man zwar alle seine Kinder gleich, doch den Sohn liebt man dann doch ein bisschen mehr – oder gibt es zumindest offen zu. Darum waren meine Großeltern auch ganz erleichtert, als nach Dunja dann endlich der erste Sohn das Licht der Welt erblickte. Sie gaben ihm den Namen Mijo.

Altes Ziegenfleisch

Als meine Großeltern erfahren hatten, dass Mijo an Leukämie litt, taten sie im Rahmen ihrer finanziellen Möglichkeiten alles Denkbare (und Undenkbare), damit er wieder gesund wird. Sie waren sogar zur Magierin in der Nachbarschaft gegangen, die über Nacht eine Flüssigkeit in einem Glas hat austrocknen lassen, was Mijo von seinen Leiden heilen sollte. Nachdem nichts davon etwas an seiner Lage verbessert hatte, legte schließlich die gesamte Familie aus Montenegro und Kosovo ihr Geld zusammen, damit meine Großeltern mit Mijo nach Belgrad fliegen konnten. Dort wurde nämlich gerade eine neue Behandlungsmethode erprobt, die bei Leukämieerkrankungen angeblich großen Erfolg versprach.

Während meine Großeltern im Belgrader Krankenhaus darauf hofften, dass die Therapie auch bei Mijo anschlug, blieben meine Mutter und ihre Schwester Dunja allein in Nikšić. Sie kümmerten sich um das Haus und die kleine Ziege namens Reja, die Mijo von einer Frau in der Nachbarschaft zur Aufmunterung geschenkt bekommen hatte, als er erkrankt war. Ziegen galten in Montenegro damals als besonders wertvoll – immerhin waren sie das Erste (und oft das Einzige) gewesen, was die Kommunisten beschlagnahmt hatten. Reja erfreute sich großer Beliebtheit in der ganzen Familie und wurde jeden Tag mit reichlich Essensresten und Mais gefüttert. Đed Milutin hatte ihr sogar einen kleinen Stall im Garten gebaut, in dem sie auf dem weichen Stroh sicher und bequem nächtigen konnte. Doch von allen liebte Mijo die kleine Ziege am allermeisten. Wenn Reja nicht gerade im Garten oder zwischen den Bahngleisen auf der vertrockneten Wiese gegenüber herumtollte, legte ihr Mijo manchmal einen Strick um den Hals und führte sie stolz die Straße auf und ab, während er bewundernde Blicke von den Nachbarn erntete.

Meine Mutter sagt immer, an Mijos Todestag habe nicht nur sein Leben, sondern auch ihre Kindheit geendet. Als Mijo starb, hörte Baba Hajdana auf zu essen und zu reden. Sie verließ das Bett nur noch, um auf die Toilette zu gehen, »tamo gdje car ide pješke« (»dorthin, wo auch der Kaiser zu Fuß geht«), wie sie heute sagt. Wenn man sie fragte, ob sie etwas brauche, blickte sie einem nicht ins Gesicht, sondern starrte nur auf einen Punkt in der Leere. Im Gegensatz zu Baba Hajdana war Đed Milutin jedoch nicht einmal körperlich anwesend: Er übernahm zusätzliche Schichten im Stahlwerk und kam nur noch zum Übernachten heim. Das Geschirr stapelte sich, die Böden verschmutzten, und im Garten fingen die Stauden an zu wuchern.

Meine Mutter war mit ihren achteinhalb Jahren vermutlich noch zu jung, um zu begreifen, was gerade passiert war, doch sie wusste, dass sie etwas unternehmen wollte. Da ihr nichts Besseres einfiel, fing sie daher an, das Haus zu putzen, die Schweine zu füttern, Rejas Stall auszumisten, abends zu kochen und ihrer kleinen Schwester bei den Hausaufgaben zu helfen. Während dieser Monate nach Mijos Tod, in denen Baba Hajdana das Bett und Đed Milutin die Fabrik nicht verließ, fasste meine Mutter den Entschluss, später einmal ein Mittel gegen Leukämie zu erfinden.

Über Mijos Tod wurde nie gesprochen. Wozu auch? Nichts konnte Baba Hajdana ihren geliebten Sohn zurückbringen. Die einzigen Erinnerungen, die ihr blieben, waren eine Handvoll Fotos und Reja, die inzwischen kein kleines Zicklein mehr war, sondern eine ausgewachsene stinkende Ziege. Als Reja alt wurde und geschlachtet werden musste, brachte es niemand übers Herz, ihr Fleisch zu essen. Sie landete in der Mülltonne.

Rodio se sin! (Ein Sohn ist geboren!)

Baba Hajdana wurde wieder schwanger – sie bekam noch ein Mädchen, Jana, und schließlich auch einen Jungen, Rade. An dem Tag, an dem Rade geboren wurde, schoss Đed Milutin vor Freude mit einer Pistole mehrmals in die Luft: »Rodio se sin!« (»Ein Sohn ist geboren!«), rief er zwischen den einzelnen Schüssen, damit es auch wirklich die gesamte Nachbarschaft mitbekam. Er holte die älteste Plastikflasche mit selbstgebrannter Loza[3] und den besten

3 Traubenschnaps.

selbstgeräucherten Speck aus dem Keller, um mit seinen Freunden aus dem Stahlwerk Rades Geburt zu feiern. Wenigstens meinem Großvater ist das Schicksal erspart geblieben, auch seinen zweiten Sohn begraben zu müssen.

»Bolje da te ja ubijem nego neko drugi« (»Es ist besser, wenn ich dich umbringe, als jemand anderer«), schimpfte Baba Hajdana immer, wenn sie Rade mit dem Gürtel verprügelte, weil er wieder einmal nicht rechtzeitig vom Spielen mit den anderen Buben aus der Nachbarschaft nach Hause gekommen war. Ihre stille Trauer um Mijos Tod hatte sich inzwischen in eine erbarmungslose Strenge und Kälte gegenüber ihren Kindern verwandelt. Aus Angst um sein Leben prügelte sie Rade daher noch häufiger als die anderen.

Kurz nachdem Rade geboren war, hatte Baba Hajdana eine Stelle als Putzkraft im Stahlwerk angenommen. Da sich jedoch rasch herausstellte, dass damit immer noch nicht genug Geld da war, um den Kredit für das Haus abzubezahlen und vier Kinder durchzufüttern, fing sie an, nach getaner Arbeit im Stahlwerk auch in der Stadt Cafés und Bars zu putzen. Jede Nacht um 2 Uhr machte sie sich im Laufschritt auf den Weg zu ihrer Frühschicht, aus Angst, jemand würde sie auf der Straße überfallen.

Da es seit Mijos Tod für alle zur Gewohnheit geworden war, dass meine Mutter den Haushalt schupfte, und sie inzwischen auch schon siebzehn Jahre alt war, passte sie nun auch auf Rade und ihre zwei jüngeren Schwestern auf, während Baba und Đed arbeiteten; Rade nannte meine Mutter inzwischen »Mama«, Dunja war zu diesem Zeitpunkt zwar auch schon vierzehn Jahre alt, benahm sich allerdings eher, als wäre sie zehn. Doch zum Glück sollte es nicht mehr lange dauern, bis zumindest ein Maul weniger in der Familie gestopft werden musste: Bereits vor einiger Zeit hatte meine Mutter entschieden, nach ihrem Schulabschluss nach Kroatien zu ziehen, um dort Pharmazie zu studieren.

Ich konnte es nicht glauben. Meine Mutter hatte einen Job als Teilzeitkraft in einer Apotheke in Baden gefunden. Wir konnten endlich von Renate wegziehen.

Es sollte zwar noch ein paar Monate dauern, bis alle Formalitäten geklärt waren und sie tatsächlich dort zu arbeiten anfangen konnte, nichtsdestotrotz machten wir uns sofort daran, nach einer neuen Wohnung zu suchen. Seit diesen Neuigkeiten fühlte sich Renates Haus für mich weniger denn je wie ein Zuhause an. Noch bevor wir überhaupt eine neue Bleibe gefunden hatten, fing ich daher an, vorsorglich meine Sachen für den Umzug zusammenzupacken: Videokassetten, Malutensilien, Schwimmanzug sowie Lieblings-T-Shirts packte ich in eine Tasche, die stinkenden Barbies kamen gut verschlossen in einen kleinen separaten Koffer. Die alte Kleidung von Sebastian und Stephanie, die mir Renate geschenkt hatte, wollte ich nicht mitnehmen.

Ich glaube, niemand von uns hatte erwartet, dass wir auf der Suche nach einer neuen Wohnung so schnell fündig werden würden. Meine Mutter hatte uns zwar auf Anraten ihrer Cousine Snežana bereits vor einiger Zeit für eine Sozialwohnung in Wiener Neustadt vormerken lassen, doch dass ausgerechnet jetzt eine frei geworden war, grenzte an ein Wunder: zentrale Lage, vierter Stock, zwei Zimmer auf fünfzig Quadratmetern sowie ein Balkon, der ausreichend Platz für die neue Nikotinsucht meiner Mutter bot. Ich konnte es nicht erwarten, endlich einzuziehen, schließlich wusste ich schon lange, wie ich mein neues Zimmer einrichten würde: blau gestrichene Wände, ein großer Schreibtisch für meine Schul- und Malsachen sowie ein Einzelbett mit passender Bettwäsche, ganz für mich allein – ich hatte wegen meinen Albträumen peinlich lange bei meinen Eltern im Bett geschlafen und fühlte mich angesichts des umzugsbedingten Neubeginns endlich dazu bereit, mich von ihnen zu emanzipieren.

Bevor ich meine Pläne in die Realität umsetzen konnte, musste ich mich allerdings noch ein wenig gedulden: Da die Wohnung bis zu seinem kürzlichen Tod dreißig Jahre lang von einem alleinstehenden Mann bewohnt worden war, bedurfte sie eines Neuanstrichs: Es war unmöglich geworden, die Herkunft der unterschiedlichen Brauntöne der Sanitäranlagen zu bestimmen, der Parkettboden löste sich an den meisten Stellen auf, und die geblümten Tapetenwände rochen nach Zigaretten und Einsamkeit. Der Vermieter teilte uns mit, dass wir mindestens noch einen Monat warten müssten, bis die Wohnung bezugsfertig war.

Als ihr meine Mutter während einer ihrer gemeinsamen Keller-Rauchpausen von den erfreulichen Nachrichten erzählte, griff Renate lediglich zur Marlboroschachtel, zündete sich eine zweite Zigarette an und wechselte das Thema.

Eine Woche später verkündete sie an der Türschwelle unserer Küche, wir müssten in zwei Wochen aus ihrem Haus ausziehen. Verwandte aus der Schweiz würden zu Besuch kommen und bräuchten eine Unterkunft. Dass unsere neue Wohnung noch nicht fertig renoviert war, tat ihr zwar leid, sie hätte ihren Verwandten allerdings bereits zugesagt, während ihres Besuchs im Nebenhaus übernachten zu können. Da ließe sich jetzt leider nichts mehr machen.

Dementsprechend holprig verlief nicht nur der Beginn unseres neuen Lebens, sondern auch die Verabschiedung von unserem alten. Während der gesamten Umzugsprozedur hatte Renate kein Wort zu viel mit uns gesprochen, doch jetzt, wo endlich all unsere Sachen gepackt waren und nur noch die Schlüsselrückgabe anstand, waren ihre eisblauen Augen voller Tränen: Niemals hätte irgendjemand ihr Haus so gut geputzt wie meine Eltern, stammelte sie mit zittriger Stimme und blickte verlegen auf den Teppichboden, den meine Mutter erst gestern noch gesaugt hatte. Nach all den Jahren voller Koch-, Putz- und Lebenspläne schien sie auf einmal nicht zu wissen, was sie sagen sollte.

Nachdem alle einander zum Abschied die Hände geschüttelt und Renate meiner Mutter noch eine kleine Geschenktasche überreicht hatte, setzten wir uns erleichtert in das vollbeladene Auto. »Akademiker putzen besser«, lachten meine Eltern, als sie den Motor starteten und mit der großen Packung *Merci* von Renate am Rücksitz den Weg in Richtung unserer neuen Wohnung einschlugen.

Dass wir die ersten paar Wochen zwischen Stehleitern und Farbkübeln lebten und uns hauptsächlich von Brot, Tomaten und Ajvar ernährten, weil nicht nur das Badezimmer eine Baustelle, sondern auch die Küche noch nicht geliefert worden war, nahmen wir gerne in Kauf dafür, Renate endlich los zu sein. Das Gefühl war unbeschreiblich. Es war, als würde mir die ganze Welt gehören – oder zumindest Wiener Neustadt. Ab sofort waren wir die Einzigen, die einen Schlüssel für unsere Eingangstür hatten. Wir waren endlich allein.

Vom Ausländer- zum Akademikerkind

Nach ein paar Wochen hatten wir nicht nur eine funktionierende Dusche und einen E-Herd, sondern ich bekam auch endlich mein erstes eigenes Kinderzimmer. Meine Eltern hatten nämlich entschieden, mir den zweiten Raum zu überlassen; sie beteuerten, sie bräuchten kein eigenes Schlafzimmer, eine Ausziehcouch im Wohnbereich wäre völlig ausreichend. Außerdem hätte ich einen

Rückzugsort viel dringender nötig als sie. Ich gab ihnen vollkommen recht – ich hatte gerade mit dem Gymnasium begonnen und brauchte den Raum nun nicht mehr nur für meine Spielsachen, sondern auch für meine zahlreichen neuen Schulbücher.

Meine Mutter hatte mehr oder weniger im Alleingang entschieden, Herrn Fleischhauers Empfehlung, mich in eine Hauptschule zu schicken, zu ignorieren. Sie war misstrauisch geworden gegenüber all den wohlgemeinten Ratschlägen, die sie in den letzten Jahren erhalten hatte: Dank ihrer neuen Kollegen in der Apotheke hatte sie nämlich auch gerade herausgefunden, dass ihr Studium in Österreich nicht anerkannt wurde und sie mehrere Nostrifikationsprüfungen ablegen musste, wenn sie jemals wieder als Pharmazeutin arbeiten wollte. Das war das erste Mal, dass sie das Wort »Nostrifikation« zu Ohren gekommen war; sie war wütend, diese Informationen nicht viel früher in Erfahrung gebracht und deshalb viel Zeit verloren zu haben. Meine Mutter fühlte sich dumm, sich stattdessen auf Renate verlassen zu haben, die ihr stets versichert hatte, sie müsse sich um ihren Studienabschluss nicht weiter kümmern.

Wir hatten uns für ein humanistisches Gymnasium in der Nähe unserer neuen Wohnung entschieden, das ich seit Herbst besuchte. Laut der Broschüre, die wir am Tag der offenen Tür mitbekommen hatten, legte das Gymnasium einen Schwerpunkt auf das Erlernen von Fremdsprachen und auf Humanismus – was genau das bedeutete, wusste ich damals zwar nicht (ehrlich gesagt weiß ich es auch jetzt nicht), aber ich wollte um jeden Preis Französisch lernen und möglichst viel zeichnen und malen.

Was uns die Broschüre allerdings vorenthalten hatte, war, dass diese Schule keine gewöhnliche öffentliche Schule war, sondern eine Privatschule in öffentlichem Gewand: *Diesel*-Jeans und *Abercrombie & Fitch*-T-Shirts gehörten zur Standardbekleidung meiner

Klassenkollegen, ihre Eltern waren Ärzte, Anwälte oder hatten mit irgendeiner banalen Erfindung im richtigen Augenblick viel Geld gemacht, sie besaßen mehrere Grundstücke, Wohnungen in Wien und Seezugänge. Mit elf Jahren wusste ich, was Aktien sind und dass Hitler die Autobahn gebaut hat.

Meine Mutter war zufrieden: Zumindest ich war jetzt dort, wo sie hinwollte, dort, wo sie dank ihres Studiums eigentlich schon vor Jahren hätte sein sollen, wäre der Krieg nicht gekommen. Nicht nur war ich unter Österreichern – in meiner Schule gab es kaum Kinder mit Migrationshintergrund, die meisten hatten Großväter namens Hans oder Josef –, endlich war ich auch unter Akademikerkindern. Dass ich in Wirklichkeit auch eines von ihnen war, fiel allerdings kaum jemandem auf. Hier waren Ausländer nicht Akademiker.

Kuća, posao, posao, kuća (Haus, Arbeit, Arbeit, Haus)[4]

In den kommenden Jahren sollte jeder Tag nach dem gleichen Muster verlaufen: Wenn ich um 13:30 Uhr von der Schule nach Hause kam, erwartete ich mir, von meinem Vater mit einem dampfenden Topf pasulj[5], čorba od krompira[6] oder mit meinem absoluten Lieblingsessen – Spaghetti mit Dosenthunfisch Sorte *Puttanesca*[7] – in Empfang genommen zu werden. Hatte er ausnahmsweise nichts gekocht, war das der Startschuss für unseren

4 Songtitel des montenegrinischen Sängers *Ekrem Jevrić*, der in den USA als Taxifahrer gearbeitet hat, bevor er mit diesem Lied Bekanntheit erlangte. Er starb mit 54 Jahren an einem Herzinfarkt in seinem Auto.
5 Bohnensuppe.
6 Kartoffeleintopf.
7 Niemand von uns wusste so genau, was das heißt.

ersten Streit des Tages; das bedeutete nämlich nicht nur, dass ich mich nach einem anstrengenden Acht-Stunden-Tag in der Schule selbst um mein Mittagessen kümmern musste, sondern auch, dass mir weniger Zeit bis zu meinem Schwimmtraining blieb, um zu verdauen. Schließlich war alles auf die Minute genau getaktet: Nachdem ich die Portion Bohnensuppe hinuntergeschlungen hatte, machte ich mich schnurstracks in Richtung meines Schreibtisches auf und schlug die Tür zu meinem Kinderzimmer zu (natürlich nicht zu fest, sonst musste ich mir wieder anhören, ich wäre undankbar und würde die Wohnung zerstören). Die nächsten eineinhalb Stunden verbrachte ich damit, unter Hochdruck Deutsch-Aufsätze zu schreiben, Englisch-Vokabeln zu lernen oder Gleichungen zu lösen, bis ich schließlich um 15:30 Uhr mit gepackter Schwimmtasche ins Vorzimmer marschierte und dort ungeduldig nach meinem Vater rief, damit er mich ins Hallenbad fuhr. Wenn ich nach dem Training um 18:30 Uhr wieder nach Hause kam, blieb mir noch genügend Zeit, um mich nach einem schnellen Abendessen inklusive einer Folge »The Simpsons« für allfällige Stundenwiederholungen oder Schularbeiten am nächsten Tag vorzubereiten, bis ich dann endlich um 22:30 Uhr zufrieden in mein schönes neues Bett fallen konnte.

Meine Mutter hatte einen ähnlich anstrengenden Tag wie ich: Mittlerweile arbeitete sie jeden Tag bis mindestens 19 Uhr (die Apotheke hatte ihr eine Vollzeitstelle angeboten), manchmal blieb sie aber auch länger oder musste den Nachtdienst übernehmen. Zu Hause angekommen, setzte sie sich nach einer kurzen Umarmung meistens direkt an die kleine Küchenzeile, um durch die Briefe zu blättern, die sie aus dem Postkasten mitgenommen hatte. Sobald sie den einen Stapel fertigsortiert hatte, machte sie sich an die anderen Zettel in ihrer Handtasche – wie ein Zauberer holte sie ein Formular nach dem anderen heraus, noch eine Rechnung und noch einen Antrag, unterstrich die eine Textstelle und zeichnete ein großes Rufzeichen neben die andere. Währenddessen schlürfte sie die Reste vom Mittagessen – unsere Tradition, alle getrennt und zu unterschiedlichen Tages- und Nachtzeiten zu essen, führten wir auch in der neuen Wohnung fort.

Auch ihre Wochenenden verbrachte meine Mutter zunehmend mit Arbeit: Wenn sie nicht in der Apotheke war, schlug sie immer noch gelegentlich ihr Deutschbuch auf, um ein paar Vokabeln zu lernen, füllte wieder neue Formulare aus, oder putzte die Fenster. Ständig gab es etwas zu erledigen, entspannt am Sofa sitzen sah ich meine Mutter so gut wie nie; auf meine gelegentliche Frage, wie es ihr gehe, gab sie noch immer dieselbe Antwort: »gut« oder »müde«. Sie verließ ihr Zettelchaos nur, um sich auf dem Balkon gelegentlich eine Zigarette anzuzünden oder für meinen Vater und mich zu kochen – über die Abwechslung zur wöchentlichen Bohnensuppe oder zum Kartoffeleintopf meines Vaters freute ich mich besonders. Denn obwohl sie seit kurzem auch für ihre Nostrifikationsprüfungen an der Universität lernte, schaffte sie es trotzdem zwischendurch noch, einen Topf gefüllte Paprika zu kochen oder Palatschinken zu braten. Irgendwie schien dafür immer genügend Zeit zu bleiben – genauso wie für die abendliche Therapiesitzung mit meinem Vater und mir.

Jeden Abend gingen wir abwechselnd zu ihr in Behandlung: Sobald sie fertig gegessen hatte, schlich als erstes ich mich zu ihr an die Küchenzeile: Ich hatte vor einiger Zeit damit angefangen, jeden Tag eine Liste über all die schlechten Dinge zu führen, die ich im Laufe des Tages entweder getan oder gedacht hatte. »1. Heute Morgen habe ich nicht so gut in Englisch aufgepasst. 2. In der großen Pause dachte ich mir, dass Lara richtig dumm ist. 3. Beim Training habe ich mir gewünscht, dass Carina krank wird und beim nächsten Wettkampf nicht mitschwimmen kann.« Jeden Abend las ich meiner Mutter diese Liste vor, als wäre ich im Beichtstuhl, und jeden Abend folgte sie mit müden Augen meinen ausführlichen Erzählungen darüber, warum ich ein schlechter Mensch war, weil ich nicht die vorgesehene Zeit im Training schwimmen konnte. Nicht einmal wenn sie bereits das Ausziehsofa im Wohnzimmer in ein Doppelbett umgewandelt und sich hingelegt hatte, hielt mich das davon ab, ihr weiter von meinen Sorgen zu erzählen. Sobald ich vom ganzen Reden müde geworden war und mich in mein Kinderzimmer verabschiedet hatte, löste mich mein Vater für seine Therapiesitzung ab. Ich hörte ihn noch lange durch die Tür sprechen; er schien erst zu verstummen, wenn das leise Fernsehrauschen vom sanften Schnarchen meiner Mutter unterstrichen wurde.

Putzen und Warten II

Dass mein Vater einen großen Redebedarf hatte, nahmen ihm weder meine Mutter noch ich übel, immerhin verbrachte er den Großteil seines Tages in der Wohnung und sprach mit niemandem. Während meine Mutter den ganzen Tag von Arbeitskollegen und Kunden umzingelt war, und ich meine Mitschüler und Schwimmkollegen hatte, blieb mein Vater mit nichts als seinen eigenen Gedanken zurück, sobald wir morgens die Haustür hinter uns zugemacht hatten.

Mit knapp fünfzig Quadratmetern hatte die Wohnung eine relativ überschaubare Größe. Wir waren erst vor kurzem eingezogen, dementsprechend war noch nicht jede einzelne Ecke mit unserem Zeug vollgeräumt und mit Staub bedeckt. Küche und Bad waren gerade erst neu renoviert worden und sammelten somit noch kaum Schmutz an, den man nicht mit ein paar Wischern wegmachen konnte. Die meisten Menschen mit durchschnittlichen Hygienestandards hätten die Wohnung daher einigermaßen schnell sauber bekommen. Nicht mein Vater.

Nachdem wir uns verabschiedet hatten, verbrachte er jeden Morgen die ersten zwei Stunden seines Tages damit, zunächst jeden Quadratzentimeter der Wohnung gründlich zu saugen. Da der Boden aber bis auf die paar frischen Krümel von meinem Frühstücksbrot ohnehin blitzblank war, ging er bald dazu über, Bücher und Videokassetten zu entstauben oder die alten Kochtöpfe von Renate auseinanderzuschrauben, um mit einem Zahnstocher das eingebrannte Fett herauszukratzen, das sich unter den Griffen versteckt hatte. Bald konnte man bei uns nicht nur vom Boden essen, sondern vermutlich auch aus dem Klo.

Jeden zweiten Tag nahm er ein anderes elektronisches Gerät auseinander und reinigte seine Einzelbestandteile; dafür benutzte er eine kleine Lupe, die meine Mutter als Werbegeschenk von einem Pharmaunternehmen bekommen hatte. Manchmal funktionierte das auseinandergenommene Gerät zwar nicht mehr, nachdem er es wieder zusammengeschraubt hatte, doch das störte ihn nicht, ganz im Gegenteil: Dann hatte er nämlich eine spannende Aufgabe für den nächsten Tag dazugewonnen. Ich glaube, es gibt weniges, was mein Vater noch nicht versucht hat, zu reparieren – in den meisten Fällen war er sogar einigermaßen erfolgreich damit. Und wenn nicht, dann redeten wir einfach nie wieder darüber.

Wenn ich zu Hause war, während er wieder einmal an etwas herumwerkte, rief er mich oft aus meinem Zimmer zu sich an die Küchentheke (dort war das Licht am besten), um ihm mit diversen Hilfsarbeiten bei seinen Reparaturtätigkeiten zu assistieren. »Pa kako si tako kilava?« (»Wieso bist du so schwächlich?«), spottete er andere Male, wenn ich widerwillig den Staubsauger dort an die

Wand hielt, wo er gerade die Bohrmaschine mit seinem ganzen Gewicht hineinstemmte. »Svuda leti prašina, hoćeš da me ubiješ sa čišćenjem?« (»Überall fliegt der Bohrstaub herum, willst du mich mit Putzen umbringen?«) Mein vermeintlich einfachster Job bestand darin, die Taschenlampe zu halten, während er mit einem Pinsel zwischen kleinen Metallplättchen in einem Walkman aus den Achtzigern oder einem alten Toaster herumwedelte. Obwohl ich genau das tat, was er mir auftrug, schien ich jedoch nie die richtigen Stellen zu beleuchten. Er fluchte abwechselnd in den Walkman oder Toaster hinein und dann wieder in meine Richtung; manchmal wusste ich nicht einmal, ob das, was er beschimpfte, überhaupt mit uns im Raum war. Erst, wenn er mir die Taschenlampe aus der Hand genommen und sie zwischen seine Zähne geklemmt hatte, beruhigte er sich wieder. »Hajde, igraj se sa Barbikama, ja ću sam završiti« (»Komm, geh mit deinen Barbiepuppen spielen, ich mach' das alleine fertig«), brachte er noch irgendwie mit der Taschenlampe im Mund heraus, bevor ich in mein Zimmer zurücktrottete, um weiterzulernen. Dass ich beim Hinausgehen noch ein stilles »Ich bin zu alt, um mit Barbies zu spielen« vor mich hin murmelte, hörte er wohl gar nicht mehr.

Nachdem mein Vater alles gereinigt hatte, sodass die nächste Schicht Staub besser darauf landen konnte, fing er an, die Bohnensuppe für den nächsten Tag vorzubereiten. Für jeden Schritt des Kochprozesses gab es ein genaues Ritual, das er über viele Jahre perfektioniert hatte und das unbedingt eingehalten werden musste. Sollten ihm meine Mutter oder ich dabei unsere Hilfe anbieten, winkte er nur ungeduldig ab; bald fragten wir ihn deshalb auch gar nicht mehr, wir konnten es ohnehin nicht richtig machen und ihn nur stören. Für die perfekte Suppe spülte er zuerst die weißen Bohnen viermal im Waschbecken: drei Durchgänge mit lauwarmem und ein Durchgang mit eiskaltem Wasser. Die steril gereinigten Bohnen siedelte er daraufhin in einen Topf um, den er bis zum Rand mit Wasser anfüllte und zugedeckt über Nacht in der Küche stehen ließ. Wer es in den kommenden zwölf Stunden wagte, den Kochdeckel in der Hoffnung auf einen schmackhafteren Inhalt als ungekochte Bohnen abzunehmen, wurde von meinem Vater aufs Strengste ermahnt – obwohl er zeit seines Lebens schlecht hörte[8] und gleichzeitig sowohl weit- als auch kurzsichtig war, hatte er in diesen Belangen seine Augen und Ohren dann doch überall.

Gekocht wurden die Bohnen am nächsten Tag für mehrere Stunden, wobei mein Vater zwischendurch immer wieder den kochenden Topf vom Herd nahm und den Schaum vorsichtig in die Spüle blies, der sich an der Oberfläche gebildet hatte. »Ta pena je otrovna« (»Der Schaum ist giftig«), versicherte er mir jedes Mal, wenn ich ihn stirnrunzelnd dabei beobachtete, wie er scheinbar eine Geburtstagstorte aus Bohnen ausblies. Wenn ich versuchte, ihn an die Erklärung meiner Mutter zu erinnern, dass es sich dabei lediglich um Eiweiß handelte, unterbrach er mich sofort und entgegnete unwirsch: »Mama to ne zna.« (»Deine Mutter weiß das nicht.«)

Die Gespräche zwischen meinem Vater und mir blieben immer öfter einseitig und beschränkten sich auf ein paar wenige Sätze – nicht unbedingt, weil ich ihm nichts zu erzählen hatte; meine Wortkargheit lag viel eher daran, dass ich so schnell wie möglich durch meinen Tag kommen wollte. Außerdem bevorzugte ich es, mir in Ruhe zum zehnten Mal dieselbe Episode von »Malcolm mittendrin« anzusehen, während ich mit einem Teller Bohnensuppe vor dem Couchtisch am Boden saß, anstatt meinem Vater lang und breit von meinem Tag zu erzählen – er schien ja ohnehin nicht so richtig zu verstehen, was mich in der Schule beschäftigte.

8 Dafür gab er Radio Luxemburg die Schuld.

Montags bestanden unsere Gespräche zwar noch aus einem »Ovaj put ti je baš posebno dobar pasulj, tata« (»Dieses Mal schmeckt die Bohnensuppe besonders gut, Papa«), mittwochs ächzte ich bei ihrem Anblick aber schon eher. »Treći dan je najbolji« (»Am dritten Tag schmeckt sie am besten«), widersprach er mir, während ich die mittlerweile völlig zerkochten Bohnen und Karotten lustlos in mich hineinlöffelte. »Ma ne znaš ti šta znači glad« (»Du weißt nicht, was Hunger bedeutet«), lachte er daraufhin bitter und schüttelte den Kopf. Dieses Stichwort kannte ich bereits, denn auf diese Drohung folgte regelmäßig eine zwanzigminütige Erörterung, wie er als Kind oft hungrig ins Bett gegangen sei, es wochenlang nur dünne Kartoffelsuppe zum Abendessen gegeben habe oder ein Stück Würfelzucker ein luxuriöser Nachtisch gewesen sei. Wenn ich darauf nicht große Augen machte – was, wie gesagt, in erster Linie daran lag, dass ich die Geschichte schon zigmal gehört hatte und der Schockfaktor einfach nachgelassen hatte –, erinnerte er mich daran, wie Đed Želimir auf seiner Flucht vor den Nazis zwölf Tage lang nichts gegessen hatte.

Đed Želimir[9] war in Serbien als junger Mann von Wehrmachtssoldaten festgenommen und mit anderen willkürlich ausgewählten Dorfbewohnern in einen Wagen Richtung Bor gesetzt worden. Im dort gelegenen Bergwerk sollte er so lange Kupfer abbauen, bis er – wie die meisten anderen Zwangsarbeiter – vor Erschöpfung tot umfiel. Allerdings bewahrte ihn sein Handwerk vor diesem Schicksal: Als die Nazis herausfanden, dass er in seinem Dorf als Schneidermeister gearbeitet hatte, holten sie ihn aus der Mine

9 Želimir bedeutet wörtlich übersetzt »Er will Frieden« (želi = er will, mir = Frieden). Überhaupt enthalten sehr viele Namen in der Region den Zusatz -mir, womöglich aus dem Wunsch nach Frieden heraus. Freilich versteht unter Frieden jeder etwas anderes.

heraus und ließen ihn stattdessen ihre Kleider reparieren. Vier Jahre lang stopfte, flickte und nähte er die Boss-Uniformen irgendwelcher Nazis, bis ihm schlussendlich die Flucht gelang: Der Krieg näherte sich bereits dem Ende, und die Nazis waren unvorsichtig geworden – zumindest so erzählte es mein Vater immer –, weshalb es Đed Želimir schaffte, zusammen mit einer Handvoll anderer Zwangsarbeiter aus dem Bergwerk zu entkommen. Die nächsten zwölf Tage irrte er durch die dichten serbischen Laubwälder, zweihundert Kilometer zu Fuß, immer Richtung Westen, bis er schließlich völlig abgemagert und mit langem schwarzem Bart in seinem Dorf ankam, wo ihn niemand wiedererkannte.

Wenn sich selbst nach dieser Geschichte immer noch nichts an meiner verzogenen Miene geändert hatte, blieb meinem Vater nichts anderes übrig, als mit einem Schulterzucken kehrtzumachen. »Dobro. Ako ti se ne sviđa pasulj – poljubi pa ostavi!«[10] (»Na gut. Wenn dir die Bohnensuppe nicht schmeckt – küss sie und lass sie stehen!«), rief er mir noch zu.

Unsere Gespräche verliefen auch während der Autofahrt zum Schwimmtraining nicht anders. Da wir außerdem jedes Mal zu spät losfuhren, brachte ich an diesem Punkt nur noch selten die Geduld auf, ihm überhaupt zuzuhören. Wenn er ganz vertieft in seine eigenen Erzählungen vor einer gelben Ampel abbremste oder sich an die genaue Geschwindigkeitsbegrenzung in einer Dreißigerzone hielt, grub ich meine Nägel nur noch tiefer in den Beifahrersitz und zählte besorgt die Sekunden, bis die Ziffern auf der digitalen Uhranzeige am Armaturenbrett weitersprangen.

10 »Poljubi pa ostavi« ist ein Sprichwort, das vermutlich jedes Kind von seinen B/K/M/S sprechenden Familienangehörigen schon mindestens einmal bei einem verschmähten Mittagessen gehört hat.

Dass wir spät dran waren, lag meist daran, dass mein Vater seine Geldbörse oder den Autoschlüssel in der Wohnung vergessen hatte, noch einen Spritzer Eau de Cologne auftragen oder seine Halbglatze zurechtkämmen musste. Während ich im Hallenbad jeden Tag 25 Meter auf und ab schwamm und diese eineinhalb Stunden für das Aufregendste in meinem Leben hielt, ging mein Vater nämlich auf seine tägliche Schnäppchentour. »Idem da lovim crvene etikete« (»Ich gehe rote Etiketten jagen«), sagte er immer, wenn er sich mit leuchtenden Augen auf seine Supermarktbesuche vorbereitete. Selbst später, als meine Mutter einen gut bezahlten Job in einem großen Pharmaunternehmen hatte, hielt das meinen Vater nicht davon ab, jeden Abend kurz vor Ladenschluss auf die Pirsch zu gehen. Sein Jagdrevier bestand aus den geheimen Ecken, die man in jedem Supermarkt fand, wenn man nur aufmerksam danach suchte: unscheinbare Kühlkästen, die untersten Regale, Rollcontainer oder Metallbehälter in Kassanähe. Überall dort tummelten sich bisweilen wahre Schätze: verschiedenste Käsesorten, Soßen, eingelegte Shrimps, Erdbeerschnitten, experimentelle Joghurtsorten, Wurstaufschnitte, Schwarzbrot, Kochschokolade, Hefewürfel, Blätterteigrollen, vakuumierte Forellenfilets – all das zum halben Preis. Bei diesem Anblick geriet mein Vater in Ekstase und plünderte alles, was er in den geheimen Ecken vorfinden konnte und was noch nicht von anderen -50 %-Jägern weggefischt worden war. In den meisten Supermärkten kannten ihn die Mitarbeiter bereits; mit einigen hatte er sich sogar so gut gestellt, dass sie ihm (meistens auf B/K/M/S) mitteilten, um wie viel Uhr sie mit der -50 %-Etikettenrolle herumgehen würden, sodass er nicht dreißig Minuten im Geschäft herumirren und so tun müsste, als würde er sich für verschiedenste Mehlsorten oder für Hundespielzeug interessieren.

Zu Hause leerte er seine Einkaufstasche auf dem Küchentresen aus und präsentierte meiner Mutter und mir stolz seine Ausbeute – was er im Supermarkt nicht eindeutig identifizieren konnte, übersetzten wir ihm einfach. Trotz erfolgter Bestimmung landeten viele dieser Schätze in der hintersten Ecke des Kühlschranks und vegetierten oft wochenlang vor sich hin. »Koštalo je 50 šilinga a kupio sam za 25!« (»Aber es hat 50 Schilling gekostet, und ich hab's für 25 bekommen!«), protestierte er, wenn wir uns weigerten, den cremigen Heringssalat anzurühren, den er mitgebracht hatte, bis er sich nach zwei Wochen schließlich selbst dazu erbarmte, ihn aufzuessen. Manchmal warfen meine Mutter und ich auch den einen oder anderen Schimmelkäse weg und erzählten meinem Vater später, wir hätten ihn gemeinsam zum Frühstück gegessen – in diesem Fall vergaßen wir natürlich nicht den Mistkübel auf dem Weg in die Arbeit oder zur Schule noch sicherheitshalber auszuleeren.

Manchmal verbrachte mein Vater seine Zeit auch bei *Hervis*, *Vögele* oder in anderen Bekleidungsgeschäften, bis er mich wieder vom Training abholen kam. Dort wühlte er nach T-Shirts von der letzten Fußballweltmeisterschaft, grellen Jacken mit aus der Mode gekommenen Mustern, karierten Hemden oder bunten Krawatten. Einmal nahm er sogar eine Skibrille mit, obwohl niemand in unserer Familie Skifahren konnte. »Ma ko zna, trebat će možda. Pogledaj ti koji je to kvalitet.« (»Wer weiß, vielleicht braucht sie eines Tages einmal wer. Schau dir diese Qualität an.«) Auch die anderen Sachen fanden oft keine Verwendung: Sie waren zu groß, zu klein oder sie gefielen niemandem. Das machte aber nichts, denn: Sie waren reduziert, und das war das Einzige, was zählte. Außerdem nahm er einen Teil seiner Ausbeute später sowieso seinen Brüdern in Serbien mit.

Doch selbst die Sachen, die er für sich behielt, erblickten nie das Sonnenlicht, sondern wanderten meist direkt von der Kleiderstange im Geschäft auf die Kleiderstange unseres Kastens. Nur manchmal führte sie mein Vater für eine kleine private Modeschau im Wohnzimmer aus oder für ein Fotoshooting: Je nachdem, wer gerade zu Hause war, kamen entweder meine Mutter oder ich zum Handkuss, ihn abzulichten. »Pazi da se ne vidi crvena etiketa!« (»Pass auf, dass man das rote Etikett nicht sieht!«) oder »Slikaj me tako da se vidi marka!« (»Fotografier mich so, dass man die Kleidermarke erkennt!«), ermahnte er mich, bevor er sein Lächeln zurechtrückte und seine Pose einnahm. Die Fotos kamen im nächsten Sommer mit auf unsere Balkantour, während die Kleider wieder sicher verpackt im Kleiderkasten verstaut wurden. Dort türmen sich auch heute noch Berge von ungetragenen Hemden, Sakkos und Schuhen, weil mein Vater noch auf den richtigen Anlass wartet, sie auszuführen. »Da te sahranimo u tome?« (»Sollen wir dich in dem begraben?«), fragt ihn meine Mutter gerne.

Raubkopierer sind Verbrecher

Der Kontakt zu Renate war nach unserem Auszug naturgemäß weniger geworden, allerdings nie ganz abgebrochen. Sie hatte uns ja nie etwas Böses getan, und meine Eltern sahen keinen Grund, alle Brücken zu ihr niederzubrennen. Außerdem kam Renate gerne in der Apotheke vorbei, wo meine Mutter arbeitete, und unterhielt sich freundschaftlich und für alle anderen Kunden gut wahrnehmbar mit ihr, während sie ihre Tabletten abholte.

Eines Tages rief Renate meine Mutter auf unserem Festnetztelefon an und fragte sie, ob wir einen Computer bräuchten, Gerhard hatte sich einen neuen gekauft. Ich war während des gesamten Telefonats ein paar Meter weiter in der Küche gestanden und hatte jedes Wort mitbekommen – sobald ich die Neuigkeiten hörte, fing ich an, vor Freude auf und ab zu springen: Zwar gab es zu diesem Zeitpunkt das Internet schon länger, es war allerdings noch nicht zur Selbstverständlichkeit geworden, dass jeder einen Computer mit Internetzugang zu Hause stehen hatte.

Da der einzige Schreibtisch der Wohnung in meinem Zimmer stand, kam der Computer in mein Reich. Von nun an teilten sich meine Schulsachen die paar Quadratzentimeter der Tischoberfläche mit einem riesigen, schweren weißgelben Kasten, aus dem tausend klebrige Kabel ragten. Meine Mutter und ich waren bereits einigermaßen mit der Bedienung vertraut: Mir war seit der Volksschule erklärt worden, ich würde zur Computergeneration gehören, und auch meine Mutter arbeitete in der Apotheke immer öfter mit einem Rechner. Mein Vater jedoch war bisher nur selten mit Computern in Kontakt gekommen – höchstens hin und wieder bei Renate, wenn er die Tastaturknöpfe in ihrem Arbeitszimmers entstaubt hatte.

Daher zeigte er sich anfangs noch wenig beeindruckt von unserer technischen Neuanschaffung. Er beharrte weiterhin darauf, die sinnvollste Freizeitbetätigung bestehe darin, an der frischen Luft Sport zu treiben oder die Bibel zu lesen. Außerdem nervte es ihn, dass das Modem jedes Mal laut krächzte und ihn niemand am Telefon erreichen konnte, wenn ich ins Internet einstieg. Dass jemand meinen Vater anrufen wollte, passierte zwar so gut wie nie, aber man konnte ja nie wissen.

Nachdem er mich allerdings mehrmals beobachtet hatte, wie ich nach dem Training Stunden vor dem Computer verbrachte und bei Konzertmitschnitten meiner Lieblingsbands mitfieberte, Filme schaute oder Spiele spielte, setzte er sich eines Abends auf den freien Sessel neben mich. »A ima li tu i Elvisa?« (»Gibt es hier auch Elvis Presley?«), fragte er, als ich gerade dabei war, meine Lieblingssongs aus den MTV-Charts als MP3-Daten herunterzuladen. Ich zuckte mit den Schultern, tippte »Elvis Presley« in die Suchleiste, und ein Wunder geschah: mehr als hundert Suchergebnisse. »A možes li spustiti Džoni Keša?« (»Kannst du auch Johnny Cash herunterladen?«), staunte er mit großen Augen. Ich hatte ihm eine neue Welt gezeigt.

Die nächsten Wochen verbrachten mein Vater und ich damit, abends, nachdem meine Hausaufgaben erledigt waren, gemeinsam vor dem Computer zu sitzen und Musik zu hören. Es war fast wie damals, als wir bei Renate am Küchentisch unter der roten Plastiklampe gemeinsam Radio gehört hatten – nur, dass wir die Songs, jetzt selbst aussuchen konnten. Ich zeigte meinem Vater Nelly Furtado, OutKast, Christina Aguilera und Eminem; im Gegenzug ließ ich zum hundertsten Mal Elvis Presley und The Shadows über mich ergehen. Während meine Mutter nebenan im Wohnzimmer ihre Papiere sortierte, saßen mein Vater und ich gemeinsam vor dem Computer, schauten Videos und luden illegal Musik und Filme herunter. Oft verharrten wir so bis Mitternacht, bis mich schließlich das schlechte Gewissen überkam, weil ich am nächsten Morgen in die Schule musste, und meinen Vater aus meinem Zimmer scheuchte.

Während wir eines Abends gemeinsam Musik hörten, fragte ich mich, ob mein Vater und ich uns verstanden hätten, als er selbst noch ein Junge war – wären wir Freunde gewesen? Oder hätte ich mich vor ihm gefürchtet? Angeblich hatte er als Kind einmal seinem Freund Dragan einen Ziegelstein an den Kopf geschleudert. Er meinte zwar immer, er hätte den Stein nur aus Angst geworfen, Dragan würde ihn andernfalls selbst wieder verprügeln – änderte das jedoch etwas an der Tatsache, dass er ihm eine Platzwunde verpasst hatte? Ich fragte mich, ob mein Vater auch mich mit einem Ziegel abgeschossen und vor mir geprahlt hätte, wie viele Schläge er wieder von seinem Vater bekommen hatte, ohne dabei auch nur eine Träne vergossen zu haben. Oder hätte er zugegeben, dass es in Wirklichkeit richtig weh at und dass er wünschte, sein Vater würde ihn nicht für jede Kleinigkeit mit dem Ledergürtel verdreschen? Hätte ich auch nur einen kurzen Blick auf das verletzliche Kind erhaschen können, das nur deshalb nicht weinte, weil es Angst hatte, nie wieder aufhören zu können, wenn es erst einmal angefangen hatte? Womöglich stellte ich mir diese Fragen auch einfach nur, weil es spät und mein Kopf ganz wirr war von den vielen Musikvideos.

»A mogu li ja to sam da radim kad ti nisi kući?« (»Kann ich das auch alleine machen, wenn du nicht zu Hause bist?«), fragte er mich einmal spätnachts, nachdem er vierzig Minuten lang geschimpft hatte, dass der Film, den wir uns gerade ansahen – »Herr der Ringe (Die Gefährten)« –, völlig unrealistisch und idiotisch war und wir stattdessen doch lieber einen Cowboyfilm schauen sollten. »A možemo možda drugi put? Dobar je taj ›Her de Ringe‹, videćeš!« (»Können wir das vielleicht ein anderes Mal tun? ›Herr der Ringe‹ ist gut, du wirst schon sehen!«) Ich wusste nämlich, dass selbst, wenn ich mich dazu durchrang, gemeinsam mit meinem Vater einen Western zu schauen, er sich trotzdem während des gesamten Films aufregen würde: über die US-Amerikaner, die Millionen von Native Americans brutal ermordet hatten, darüber, wie unecht das Kunstblut aussah und wie ungerecht die Welt war. »Pobednik piše istoriju, zapamti to« (»Der Sieger schreibt die Geschichte, merk dir das«), erinnerte er mich zwischendurch immer wieder. Als Gandalf gerade dabei war, Frodo die Inschrift auf dem Ring zu übersetzen, verschwand mein Vater kurz aus dem Zimmer und kam mit seinem kleinen Notizblock zurück, in den er manchmal ausgewählte Bibelzitate übertrug. Er drückte auf die Leertaste (ich hatte ihm beigebracht, dass man damit den Film pausieren konnte) und wiederholte seine Frage.

Obwohl ich von Anfang an kein besonders gutes Gefühl bei der

Sache hatte, erklärte ich ihm an den folgenden Abenden in kleinen Schritten, wie er Videos suchen, Musik downloaden oder Schach spielen konnte. Er notierte penibel genau jedes Wort, das ich ansagte: »Uključi kompjutor, klikni dva puta na mali plavi *e*, ukucaj skroz gore: www.google.com, stisni enter (veliko dugme skroz desno sa ovim simbolom: ↵), ukucaj to šta tražiš pored lupe, opet stisni enter.« (»Schalte den Computer ein, klicke zweimal auf das kleine blaue *e*, tippe ganz oben ein: www.google.com, drücke auf Enter – das ist der große Knopf ganz rechts mit dem Symbol: ↵ –, schreibe neben die Lupe, was du suchst, klicke wieder auf Enter.«)

Bald fing er an, alles herunterzuladen, was ihm in die Hände fiel, Musik aus jedem Jahrhundert und Genre: Er hatte nicht nur alle Hits der Rolling Stones auf verschiedenen USB-Sticks, sondern auch das neue Album von Britney Spears. Mit den Songs auf diesen USB-Sticks verwandelt er heute noch unsere Wohnung in eine Zeitkapsel der 2000er Jahre, während er Geschirr abwäscht (der Geschirrspüler macht das nicht so gründlich wie er) oder auf seinem Smartphone gegen fremde Männer Schach spielt.

Ich hatte ein Monster erschaffen. Inzwischen verbrachte mein Vater nämlich nicht mehr nur seine Zeit allein zu Hause vor dem Computer in meinem Kinderzimmer. Nun bestand er außerdem darauf, auch abends noch bosnische, kroatische und serbische Zeitungen zu lesen oder die Kriegsverbrecherprozesse in Den Haag zu verfolgen, wenn ich eigentlich schon ins Bett wollte. Sein Notizblock war mittlerweile vollgekritzelt mit irgendwelchen Schlagwörtern, Websites, Links oder Namen, die ich noch nie gehört hatte. Jede Nacht fochten mein Vater und ich bittere Revierkämpfe aus. »Samo još malo, sinčić« (»Nur noch ein bisschen, mein Söhnchen«), bettelte mein Vater, während ich im Pyjama vor ihm stand und mich nicht vom Fleck rührte. »Hajde popričaj još malo s mamom.« (»Geh doch noch ein bisschen mit Mama plaudern.«)

Meistens war meine Mutter um diese Uhrzeit aber bereits am Ausziehsofa eingeschlafen und schnarchte zur »Millionenshow« friedlich vor sich hin. Nicht nur einmal fing ich vor Wut an zu weinen, manchmal zog ich auch einfach den Stecker aus der Wand, und der Computerbildschirm wurde schwarz. An manchen Abenden entschied ich mich für weniger konfrontative Methoden, legte mich in mein Bett und wälzte mich demonstrativ laut herum, um ihm klarzumachen, dass ich nicht einschlafen konnte. An anderen Abenden gab ich jedoch einfach auf, kuschelte mich zu meiner Mutter aufs Ausziehsofa und döste zu den langsamen Tastaturanschlägen aus dem Nebenzimmer ein.

Nach mehreren Wochen unnachgiebigen Stellungskriegs gelangten mein Vater und ich schließlich zu einer Vereinbarung: In Zukunft würde er einfach in meinem Bett schlafen und ich bei meiner Mutter am Ausziehsofa. Sie und ich hatten im Gegensatz zu ihm sowieso einen ähnlicheren Tagesrhythmus: Wir standen beide gegen 6:30 Uhr auf und gingen früher schlafen als er. Wenn wir meinen Vater zum Schlafen in mein Kinderzimmer umsiedelten, würde er mich nicht länger stören, wenn er bis 3 Uhr morgens vor dem Computer saß; umgekehrt könnte er wiederum in Ruhe ausschlafen, während meine Mutter und ich frühmorgens in unseren Tag starteten. Wir fragten uns alle, warum wir nicht schon viel früher auf diese Idee gekommen waren.

Eines der wenigen anderen Ausländerkinder in meinem Jahrgang war Adrian – sein Vater war Österreicher, und seine Mutter stammte aus Spanien. Adrian war zwar weniger Ausländer als ich, sah aber mehr so aus: Er hatte rabenschwarze Haare, große schwarze Augen und die längsten Wimpern, die ich in meinem Leben gesehen habe. Adrian und ich saßen beide ganz vorne in der ersten Reihe, schrieben jeden Buchstaben mit, den die Lehrer sagten, und meldeten uns abwechselnd freiwillig für Stundenwiederholungen. Was sich zunächst nach einer Konkurrenzsituation anfühlte, entwickelte sich bald zu einer engen Freundschaft.

Während die anderen Kinder die Unterrichtspausen am Schulhof verbrachten und manche sogar ihre ersten Zigaretten rauchten (Wiener Neustadt war ein hartes Pflaster), blieben wir auf unseren Holzstühlen sitzen und steckten die Köpfe verstohlen zusammen. Mit fettigen Fingern von dem Stück Burek, in das ich zwischen unseren Lachkrämpfen immer wieder hineinbiss, hielt ich meinen Englischaufsatz fest und las ihn Adrian vor. Seit einiger Zeit machten wir uns einen riesigen Spaß daraus, um die Wette Englischaufsätze zu schreiben – meistens ging es in unseren jede Woche länger werdenden Erzählungen um Michael Jackson, der alle anderen Charaktere abschlachtete und dabei seine Nase verlor. Jeder unserer Aufsätze endete mit dem Satz »and the blood was splashing«.

Ich glaube, die anderen Kinder hielten Adrian und mich für Freaks. Nicht nur hatten wir eine Art von Humor, die anscheinend nur wir lustig fanden; außerdem waren wir nicht sonderlich hübsch, gingen kaum fort und tranken keinen Alkohol. Ich hatte nämlich Sorge, schon mit nur einem Rausch so viele Gehirnzellen zu zerstören, dass ich danach nicht mehr so gut lernen konnte – und ich brauchte jede einzelne, die ich besaß, zumindest, bis wir die österreichische Staatsbürgerschaft in der Tasche hatten. Dieses Risiko war mir das Dosenbier im E-Park[11] mit meinen Mitschülern nach der Schule einfach nicht wert. Sobald die Schulglocke läutete, spazierten Adrian und ich daher schnurstracks nach Hause. Da wir nicht weit voneinander entfernt wohnten, hatten wir denselben Heimweg; mit prallgefüllten Rucksäcken, die uns fast genauso breit wie lang machten, besprachen wir noch die anstehende Deutschschularbeit oder machten uns über unsere Lehrer lustig, bevor sich unsere Wege bei *Musti's Friseursalon* trennten.

An den Wochenenden trafen Adrian und ich uns manchmal auch außerhalb der Schule, meistens bei ihm zu Hause: nicht nur, weil er in seinem Zimmer im Dachgeschoss eines großen Jahrhundertwendehauses eine PlayStation hatte, auf der wir stundenlang in Ruhe »Final Fantasy« spielen konnten und höchstens von der sanften Stimme seiner Mutter gestört wurden, wenn sie uns Cracker oder Hirsebällchen anbot; außerdem vermied ich es in letzter Zeit, jemanden zu mir nach Hause einzuladen: Mein Vater schien es nicht mehr besonders zu mögen, wenn ich Freunde bei uns in der Wohnung hatte. »A što se nabijate u kuću ko neke babe? Odite na kebab« (»Warum verbarrikadiert ihr euch zu Hause wie Omas? Geht lieber Kebab essen«), war seine Antwort, wenn ich vorsichtig Besuch ankündigte. Falls mein Vater ausnahmsweise doch einmal nachgab und Adrian zu Besuch kommen durfte, löste er sich in Luft auf, noch bevor ich meinem Schulfreund die Tür öffnete. Er begrüßte Adrian nicht einmal – sobald die Klingel läutete, stürzte er in die Küche oder in das direkt daran anschließende Badezimmer und schloss die Tür hinter sich ab. Dort verharrte er während Adrian und ich uns im Wohnzimmer unterhielten, fernsahen und lachten. Sollte ich sein Versteck betreten, um Adrian und mir ein

11 Kurz für Esperanto-Park

Glas Saft oder etwas zum Naschen zu holen, legte mein Vater leise seinen Zeigefinger an die Lippen und deutete mir, nicht mit ihm zu reden. Wenn Adrian länger blieb, verschwand er sogar manchmal in einem günstigen Moment ganz leise aus der Haustür und ging in der Nachbarschaft spazieren. Zwischen zwei Filmen fragte Adrian manchmal: »Wo ist eigentlich dein Vater?«

Obwohl Adrian und ich uns in der sozialen Klassenhierarchie tendenziell am unteren Ende bewegten, ließen uns die beliebten Kinder dennoch meistens in Ruhe: Wir ahmten gerne unsere Lehrer und ihre merkwürdigen Eigenheiten nach, wofür wir manchmal ein paar Lacher kassierten. Doch vor allem stellten wir ihnen immer unsere Hausaufgaben zum Abschreiben zur Verfügung; das kostete uns nichts: Von den Lehrern bekamen wir dafür kaum Ärger, weil der Großteil von ihnen ohnehin wusste, dass Adrian und ich die Abschreibquelle waren, und uns daher weitgehend aus dem Schneider ließ, wenn auf einmal die halbe Klasse denselben Grammatikfehler bei einer Englischhausübung gemacht hatte. Da wir sehr darauf achteten, sie nur unbeobachtet zu imitieren, mochten uns außerdem die meisten Lehrer. Bis auf Frau Professor Pichler.

Frau Professor Pichler war unsere Deutschlehrerin, und aus irgendeinem Grund schien sie mich leiden zu können. Egal, wie sehr ich mich im Unterricht anstrengte, gab sie mir immer nur einen »guten Zweier«. Nun war ein »Gut« natürlich eine gute Note, aber solange es noch eine bessere Note gab, war ein »Gut« eben nicht gut genug. Niemand wurde Staatsbürger, weil er »gut« war. Ich musste »sehr gut« sein. Da mein restliches Zeugnis nur aus Einsern bestand, störte mich ihre Beurteilung zudem aus rein ästhetischen Gründen. Viele der Korrekturen, die sie in meinen Haus- und Schularbeiten vornahm, konnte ich außerdem nicht nachvollziehen. Jeder Aufsatz, den sie mir korrigiert zurückgab, war von oben bis unten mit »Stilkorrekturen« mit Rotstift vollgekritzelt: Hier könne man anstelle von »und« auch »sowie« verwenden, dort solle ich statt »er schwang sich auf das Pferd« lieber »er schwang sich auf den Rücken des Pferdes« schreiben, außerdem hatte ich dreimal etwas im Text durchgestrichen, und das sah im Gesamtbild nicht schön aus.

Wenn ich aufzeigte, um mich freiwillig zum Vorlesen zu melden, schien Frau Professor Pichler mich nicht einmal dann zu bemerken, wenn ich meinen Arm peinlich gerade nach oben streckte und ungeduldig auf dem Sessel hin und her rutschte. Ihr Kopf war meistens in die entgegengesetzte Richtung gedreht. Falls sie mich ausnahmsweise doch vorlesen ließ, unterbrach sie mich nach ein paar Sätzen wieder und rief jemand anderen auf, um den Text zu Ende zu lesen.

Anfangs war ich mir nicht sicher, ob ich mir das alles einfach nur einbildete. Vielleicht zeigte ich zu oft auf, und Frau Professor Pichler ignorierte mich nur deshalb, weil sie wollte, dass auch andere Schüler an ihren Vorlesefähigkeiten arbeiten? Oder aber konnte ich in Wirklichkeit gar nicht so schön lesen? Auf der anderen Seite: Sollte sie mich in diesem Fall dann nicht erst recht drannehmen, damit ich es lerne? Dafür war die Schule doch da, oder? Ich war ratlos und teilte meine Sorgen mit Adrian, der mir beipflichtete: Auch ihm war aufgefallen, dass etwas nicht stimmte.

Irgendetwas schien Frau Professor Pichler an mir zu stören, ich musste nur noch herausfinden, was es war. Anders konnte ich mir auch nicht erklären, warum sie immer nur Adrian für seine Bilingualität lobte – regelmäßig betonte sie vor der ganzen Klasse, was für ein Sprachwunder er nicht sei, weil er zweisprachig aufgewachsen war (Adrian sprach mit seiner Mutter ausschließlich Spanisch). Warum lobte sie mich nie dafür? Sie wusste doch, dass auch ich eine zweite Muttersprache hatte. Doch völlig abgesehen davon: Warum wurde überhaupt irgendjemand auf einmal dafür gelobt, dass er zu Hause eine andere Sprache als Deutsch spricht? Bisher hatte ich mich doch überall dafür rechtfertigen müssen.

Als Frau Professor Pichler ihn eines Tages wieder einmal für alle deutlich wahrnehmbar hochpries und Lobeshymnen auf seine Begabung sang, meldete sich Adrian selbst zu Wort. »Sie ist auch zweisprachig aufgewachsen«, unterbrach er unsere Deutschlehrerin und deutete auf mich. Für einen kurzen Moment blickte nicht nur ich ihn verdutzt an, sondern auch Professor Pichler. Sie schien irritiert und setzte mehrmals an, etwas zu sagen, bevor sie das Thema mit einem knappen »Stimmt« beendete und im Lehrstoff weitermachte.

Glup kao konj (Dumm wie ein Pferd)

Wenn ich meinem Vater von Frau Professor Pichler erzählte, gab er mir den Ratschlag, ich solle mir einfach vorstellen, wie sie auf dem Klo sitzt und Durchfall hat. Dann würde ich keine Angst mehr vor ihr haben. Ich probierte seine Methode und malte mir aus, wie sie mit hochrotem Kopf und Schweißperlen auf der Stirn auf der Kloschüssel saß, weil sie mitten im Deutschunterricht starke Bauchkrämpfe bekommen hatte und aus dem Klassenzimmer gelaufen war. Ich war zwar kurz amüsiert von diesem Bild, an meiner Situation änderte es allerdings nichts.

»Ma jebeš Pihler. Da ja znam toliko jezika kao i ti, već bih odavno bio predsednik« (»Scheiß auf Pichler. Wenn ich so viele Sprachen sprechen würde wie du, wäre ich schon längst Präsident«), versicherte er mir und gab mir einen Klaps auf die Schultern. In letzter Zeit hatte sich mein Vater zur Gewohnheit gemacht, mich nachmittags in meinem Kinderzimmer zu besuchen, während ich an meinen Hausaufgaben arbeitete. Obwohl ich meine Zimmertür meist geschlossen hatte, um von seinen kreischenden Staubsaugergeräuschen nicht gestört zu werden – er hatte vor kurzem einen Handstaubsauger bei *Media Markt* gekauft, der im Schnitt alle fünf Minuten zum Einsatz kam –, hielt ihn das nicht davon ab, ungeniert in mein Zimmer zu schneien. »Šta to radiš, sinčić?« (»Was machst du da, Söhnchen?«), flüsterte er hinter der halb geöffneten Tür hervor, obwohl er genau wusste, was ich tat. Meistens bestand unsere daran anknüpfende Konversation daraus, dass ich mein Unverständnis äußerte, was genau ihm so schwer daran fiel, zuerst anzuklopfen, bevor er die Tür öffnete, und er seine Befremdung darüber zum Ausdruck brachte, in welch einer Familie verschlossene Türen notwendig seien. Nur švabe[12] hätten Geheimnisse in der Familie – die würden ihre Kinder ja aber auch nicht lieben. Dass mir mein Vater fünfzehn Jahre später aus Liebe seine Krebserkrankung verschweigen würde, hätte er sich damals wohl noch nicht gedacht.

Trotz meiner genervten Blicke spazierte er also immer öfter in mein Zimmer und setzte sich auf den freien Sessel neben mich. Noch mit dem Handstaubsauger oder einem nassen Schwamm in der Hand fragte er mich über meine Hausaufgaben aus, teilte ein paar unzusammenhängende Lebensweisheiten oder schwelgte in Anekdoten aus seiner eigenen Schulzeit. Eines Nachmittags riss er einfach die Tür auf und marschierte wie ein Soldat in mein Zimmer hinein. Kurz vor dem Schreibtisch blieb er abrupt stehen und schlug die Fersen zusammen. Dabei rief er »FUNFUNFUNFZIK!« und salutierte einem unsichtbaren Vorgesetzten. Da ich seine Einlage nur wortlos beobachtet hatte, fragte er mich noch »Što si tako

12 Umgangssprachlich verwendete Bezeichnung für alle Deutschsprachigen auf B/K/M/S.

ozbiljna?« (»Warum bist du so ernst?«), bevor er genauso plötzlich wieder hinausmarschierte. Wenn er besonders gut gelaunt war, zog er manchmal sogar irgendein Buch aus dem Stapel auf meinem Tisch und las laut vor: Ziie muuuiiissen iiim mal inz Geviiissen – šta je to? (was ist das?) – reden!«[13], zitierte er einmal mit erhobenem Finger aus einer bunten Taschenbuchausgabe von »Die Vorstadtkrokodile« und lachte über seine eigene Aussprache.

Da ich nicht in sein Lachen einstimmte und er auch nicht mehr so tun konnte, als würde er meinen stillen Protest nicht bemerken, ließ er besiegt die Schultern fallen. »A nemaš vremena da me naučiš malo nemačkog?« (»Du hast keine Zeit, mir ein wenig Deutsch beizubringen?«), fragte er mit der größten Vorsicht, die seine Stimme noch aufbringen konnte, obwohl er meine Antwort bereits kannte. »Ne mogu sada, tati, moram da učim.« (»Ich kann jetzt nicht, Papi, ich muss lernen.«) Ich wusste, dass ihm nach diesem Satz nichts anderes übrigblieb, als sich geschlagen zu geben und von dem Sessel aufzustehen. »Samo ti uči, sine moj, neću više da ti smetam« (»Lern nur, mein Sohn, ich störe dich nicht mehr«), bestärkte er mich und gab mir noch einen Kuss auf den Kopf.

Doch nur zehn Minuten nachdem er aus dem Zimmer verschwunden war, stand er auch schon wieder in der Tür. »Oprosti tvom glupom ocu. Barem sam napravio pametno dete« (»Vergib deinem dummen Vater. Wenigstens habe ich ein kluges Kind gemacht«), sagte er leise und legte einen Teller voll frisch geschnittenem Obst neben meine Hausaufgaben.

13 Den Buchstaben *Z* spricht man auf B/K/M/S wie ein stimmhaftes *S* aus, in etwa so, wie man es auf Englisch tun würde.

Die sorgfältig geschnittenen Apfelspalten waren kreisförmig angeordnet, und in ihre Mitte lag eine geschälte Mandarine. Ich brachte noch ein »Hvala, tata« (»Danke, Papa«) heraus. Ich wollte ihm nicht in die Augen schauen. Ich hatte Angst, das zu fühlen, was er fühlte.

Mein Vater, meine Mutter und ich waren die einzigen drei Mitglieder aus unserer Familie, die in Österreich lebten; noch nie war ich hier jemandem mit dem gleichen Nachnamen wie unserem begegnet. Wir waren alleine hier. Jeder von uns war für den jeweils anderen verantwortlich, und ich war in der Verantwortung meinem Vater gegenüber gescheitert. Hätte ich auch nur einen Tag lang an jemanden anderen gedacht als an mich selbst, würde er vielleicht nicht die ganze Nacht aufbleiben und in den Computer starren. Wäre ich selbstloser gewesen, hätte er vielleicht die Sprache gelernt, Freunde gefunden, ein Hobby, einen Beruf, einen Sinn. Ich schämte mich.

Stattdessen war mein Vater zu einem Einrichtungsgegenstand in unserer Wohnung geworden. Mittlerweile reinigte er sich selbst fast genauso gründlich wie den Boden. Jeden Tag saß er stundenlang an der Küchentheke und drückte vor einem kleinen Vergrößerungsspiegel an seinen Poren und Mitessern herum, bis sein Gesicht mit roten Flecken übersät war. Mit einer Pinzette zupfte er jedes einzelne Haar heraus, das an der falschen Stelle wuchs oder die falsche Farbe hatte. Er wusch seine Hände so lange unter dampfend heißem Wasser und rieb sie so gründlich mit Seife ein, bis seine Haut ganz brüchig und rissig wurde – Wundsalbe verweigerte er, das war eine unnötige Erfindung der Pharmaindustrie. Er schrubbte seine Zähne dreimal am Tag und schabte sie mit meterweise Zahnseide ab, bis er Blut spuckte.

An manchen Tagen überkam mich die Angst, er würde sich

mit einem der Skalpelle, die ihm meine Mutter aus der Apotheke mitgenommen hatte und die er für diverse Zwecke bei seiner Körperhygiene benutzte, die Pulsadern aufschneiden. Ich war mir nie ganz sicher, wie ernst er diese Dinge meinte, aber seit einiger Zeit sagte er immer wieder, er wünschte, er wäre nicht am Leben. In ein paar Jahren wäre ich außerdem alt genug und bräuchte ihn sowieso nicht mehr.

Die ohnehin schon wortkargen Gespräche zwischen meinem Vater und mir wurden von Tag zu Tag weniger. Wenn ich ihn mied, war es einfacher, die Schuldgefühle auszuhalten. Manchmal vergaß ich sie sogar ganz, etwa beim Schwimmtraining oder wenn ich mit Adrian »Final Fantasy X« spielte. Außerdem hatte ich bereits genug eigene Sorgen: Mittlerweile war ich mir nämlich sicher, dass ich mir die ganze Sache mit Frau Professor Pichler nicht einbildete. Obwohl ich (zumindest laut meinem Meldezettel) griechisch-orthodox[14] war, besuchte ich von Beginn meiner Schulzeit an den katholischen Religionsunterricht – in erster Linie, weil ich keine Lust hatte, mich eine Stunde lang allein in der Aula zu langweilen. Doch eines Vormittages teilte mir mein Religionslehrer mit, dass mich die Schuldirektorin sprechen wollte. Ich verstand nicht. Erst vor ein paar Wochen war ein Junge aus der fünften Klasse in ihr Büro zitiert worden, nachdem er einen Tisch im Klassenzimmer mit Flüssigkleber überzogen und daraufhin angezündet hatte (dasselbe hatte er später auch mit einem Auto gemacht, aber das waren nur Gerüchte). Doch warum musste *ich* zur Direktorin? Auf dem Weg dorthin zerbrach ich mir den Kopf darüber, was ich angestellt haben könnte, und legte mir vorsorglich eine Liste an möglichen Argumenten zurecht: Vielleicht hatte einer der Lehrer

14 Ich verstehe noch immer nicht, woher genau das »griechisch« kommt.

gesehen, wie Adrian und ich uns auf unserem Schulweg über ihn lustig gemacht hatten? Sollte ich es abstreiten? Oder war es womöglich die klügere Strategie, die ganze Sache zuzugeben und um Verzeihung zu bitten? Ich hatte mir bereits ausgemalt, wie ich von der Schule flog und zu Renate in die Hauptschule musste, als ich im Büro der Schuldirektorin angekommen war.

»Bitte, setz dich«, bot sie mir an und deutete auf den freien Stuhl vor ihrem Schreibtisch. »Frau Professor Pichler hat mir mitgeteilt, dass du seit einiger Zeit den katholischen Religionsunterricht besuchst«, durchbrach sie die unangenehme Stille. Damit hatte ich nicht gerechnet.

»Ähm, ja«, antwortete ich vorsichtig.

»Aber du bist ja gar nicht römisch-katholisch«, stellte sie ungeduldig fest.

Als ich nicht wusste, was ich darauf sagen sollte, schlug sie mit der flachen Hand auf den Tisch. »Was fällt dir eigentlich ein, als Nicht-Katholikin in den katholischen Unterricht zu gehen?«, schrie sie mich an. »Bist du verrückt geworden?«

Falsche Tabletten

Anders als mein Vater, der meine Schule nie von innen gesehen hat, ging meine Mutter jedes Jahr zum Elternsprechtag im November. Dort unterhielt sie sich mit meinen Lehrern, lernte die Eltern meiner Mitschüler kennen und blätterte aufmerksam durch meine Zeichnungen, die im BE-Saal[15] auflagen. Da ich ein Streber war, freute ich mich immer auf Elternsprechtage, ein paar Tage vor dem diesjährigen brach ich allerdings in Tränen aus. Ich erzählte

15 BE = Bildnerische Erziehung.

meiner Mutter von Professor Pichler und dass ich aus dem Religionsunterricht geflogen war. Während ich so vor mir hin schluchzte, hörte mir meine Mutter geduldig zu und nahm mich in den Arm. Sie versicherte mir, ich müsse mir keine Sorgen machen und dass sie das Thema ansprechen würde.

Am Morgen nach dem Elternsprechtag war Professor Pichler wie verwandelt: Sie lächelte mir zu, wenn sich unsere Blicke trafen, und schaute in meine Richtung, wenn ich aufzeigte. Nach der Deutschstunde nahm sie mich zur Seite und teilte mir mit, bei der ganzen Sache mit dem Religionsunterricht habe es sich um ein bedauerliches Missverständnis gehandelt und es tue ihr schrecklich leid. Ich war verstört.

Als meine Mutter an diesem Abend von der Arbeit nach Hause kam, fiel ich über sie her, noch bevor sie ihre Schuhe ausziehen konnte. Ich fragte, was sie Frau Professor Pichler angetan hatte.

»Ništa« (»Nichts«), antwortete meine Mutter mit ihrer üblichen ruhigen Stimme, während sie die Jacke an den Garderobenhaken hängte.

»Pa kako ništa?« (»Wie meinst du: nichts?«), bedrängte ich sie und stolperte ihr auf dem Weg in die Küche nach. Sie setzte sich erschöpft auf den Hocker und atmete tief aus, bevor sie wie jeden Abend einen Stapel Briefe und Papiere aus ihrer Tasche herausholte und auf die Theke legte.

»Jednostavno sam je pitala, da li postoji neki problem« (»Ich habe sie einfach gefragt, ob es ein Problem gibt«), antwortete sie, während sie langsam durch den Stapel blätterte.

»I?« (»Und?«), wollte ich wissen und setzte mich mit einer Gesäßhälfte auf den Hocker neben sie.

»Prvo je rekla, da ne razumije zašto se kao Auslenderkind uopšte buniš zbog dvojke« (»Zuerst meinte sie, sie verstehe nicht, warum du dich als Ausländerkind überhaupt über einen Zweier beschwerst«), begann sie zu erzählen, als sie einen Brief aus ihrem Stapel ausgewählt hatte.

»I da stranci kod nje nikada ne dobijaju jedinice« (»Und dass Ausländer bei ihr nie Einser in Deutsch bekommen«), fuhr sie fort. Sie warf mir einen kurzen Blick zu. »Na to sam joj odgovorila da ne razumijem njenu logiku.« (»Darauf habe ich ihr geantwortet, dass ich ihre Logik nicht verstehe.«)

»I šta je Pihler na to rekla?« (»Und was hat die Pichler darauf geantwortet?«), drängte ich ungeduldig.

»Rekla je da joj možda i nisi tako simpatična« (»Sie meinte, dass du ihr vielleicht auch einfach nicht so sympathisch bist«), sagte sie, während sie den Brief öffnete.

»To je rekla?« (»Das hat sie so gesagt?«), fragte ich verblüfft.

»Da. Mislim da nije najpametnija« (»Ja, ich glaube, sie ist nicht die Klügste«), antwortete meine Mutter und blickte mit einem kleinen Lächeln kurz von dem Brief auf.

Die folgenden Sätze gehören zu jenen Anekdoten, die ich meine Mutter vermutlich am häufigsten habe erzählen hören. Keine Hochzeit, keine Geburtstagsfeier, kein Abendessen mit Verwandten oder Freunden geht vorbei, ohne dass diese Geschichte zumindest einmal besprochen und ausgiebig kommentiert wird.

»Na to sam je pitala, šta bi ona rekla, da dođe kod mene u apoteku, i da joj dam pogrešan lijek, zato što mi možda nije tako simpatična.« (»Ich habe sie daraufhin gefragt, wie sie es fände, wenn sie zu mir in die Apotheke käme und ich ihr das falsche Medikament gäbe, weil sie mir vielleicht einfach nicht so sympathisch ist.«)

Meiner Erinnerung nach war jeder Sommer gleich: Nach dem letzten Schultag drückten meine Eltern und ich den heißen Juli irgendwie durch, indem wir versuchten, unsere Wohnung mit präzise aufeinander abgestimmten Raumverdunkelungs- und Lüftungstechniken auf einer erträglichen Temperatur zu halten. Wir stritten viel und waren voneinander genervt. Vor allem für meinen Vater bedeutete der Sommer jedes Jahr aufs Neue eine Entwöhnung von seiner bequem gewordenen Einsamkeit. Da ich nicht mehr den ganzen Tag in der Schule, im Hallenbad oder am Schreibtisch verbrachte, hatte er die Wohnung nicht mehr für sich allein. Wie ein Wirbelwind voll jugendlicher Euphorie stürmte ich jeden Sommer sein kleines Königreich und brachte Chaos in seinen Ein-Mann-Haushalt. Nun konnte er seine Tage nicht mehr ungestört damit verbringen, stundenlang Online-Schach zu spielen, sondern war gezwungen, sich den Zugang zum PC mit mir auszuhandeln. Er musste noch öfter staubsaugen und den Boden wischen als sonst, weil ich mich weigerte, bei den heißen Temperaturen Socken zu tragen, und deshalb mit meinen Füßen hässliche Transpirationsspuren auf dem Parkett hinterließ. Meine Angebote, ihm diese Arbeit abzunehmen, wischte er mit einem »Nemaš ti tako dobre oči kao ja« (»Du hast nicht so gute Augen wie ich«) vom Tisch. Das hielt ihn freilich nicht davon ab, vor sich hin zu schimpfen, während er auf seinen Knien mit nassen Fetzen meine Fußabdrücke entfernte, die tatsächlich nur er sah: »Plakaćeš ti kad ti umrem.« (»Du wirst weinen, wenn ich sterbe.«)

Wenn ich keine Lust hatte, zu Hause zu bleiben und mit meinem Vater zu streiten, flüchtete ich für den Preis eines Halbtagestickets in eines der städtischen Freibäder in Wiener Neustadt. Mein Lieblingsbad war das Ungarbad, das mittlerweile ebenfalls einer Wohnhausanlage weichen musste. Seine Stammkundschaft bestand aus einer Mischung aus Kindern wie mir und alteingesessenen Pensionisten, die aussahen, als wären sie bereits im Schwimmbecken als Wassergeburt auf die Welt gekommen. Sie schwammen ihre Längen in einem derart langsamen Tempo, dass ich mich immer fragte, wie es ihnen gelang, dabei nicht unterzugehen. Vielleicht gab ihnen ihr zerlassenes Bindegewebe eine Art Auftrieb; vielleicht waren es aber auch die fünf Seidel Bier, die sie zuvor in der Kantine hinuntergestürzt hatten und die ihre prallen Bäuche zu praktischen Schwimmhilfen weiter aufdunsen ließen. Oder aber es war das *Tiroler Nussöl*, das ihnen erlaubte, gemächlich durchs Wasser zu gleiten. Mit diesem flüssigen Gold rieben sie ihre Körper literweise ein, um in der prallen Sonne auf der Liegewiese so lange an ihrem Hautkrebsrisiko arbeiten zu können, bis sie aussahen wie frittierte und in Zuckerglasur eingelegte Ledergarnituren von *XXXLutz*.

Das absolute Highlight im Ungarbad aber war der Fünfmeterturm, von dem sich vor allem vorpubertierende Burschen in waghalsigen Posen hinunterstürzten, um die zuschauenden Mädchen zu beeindrucken. Bevor das Gerücht umging, dass einmal ein Junge bei einem Manöver so ungeschickt im Wasser gelandet war, dass seine Bauchdecke zerborsten und seine Gedärme herausgeflossen waren, versuchte ich mich auch in Saltos und anderen Tricks. Wenn mein Vater ins Freibad mitkam, dokumentierte er jeden meiner Sprünge mit seiner Fotokamera, um später vor seinen Brüdern in Serbien zu prahlen, wie mutig ich für ein Mädchen war.

Wann fahrt ihr wieder nach Hause?

Die Streitereien in unserer Wohnung wurden im nächsten Monat durch neue ersetzt – dann stand nämlich endlich das langersehnte Ereignis an, dem wir das ganze Jahr über entgegengefiebert hatten: unsere Balkantour.

Bis auf Nordmazedonien lebte in jedem der sieben Nachfolgestaaten Jugoslawiens zumindest eine entfernte Großcousine, mit der man irgendwann einmal auf einer Hochzeit Kolo[16] getanzt hatte. Da wir jedoch wegen der Kriege nicht immer alle besuchen konnten, beschränkte sich unsere alljährliche Balkantour meistens auf Serbien und Montenegro.

Im August ging es für drei Wochen »runter«. Anfangs hatten wir diesen Zeitraum gewählt, weil Renate das so gewollt hatte. Den Grund dafür konnten wir zwar nie herausfinden, aber aus der anfänglichen Urlaubsverpflichtung wurde mit den Jahren eine Gewohnheit.

Dem Reisebeginn gingen stets mehrere Wochen intensiver Vorbereitungsarbeiten voraus, die von meiner Mutter sorgsam orchestriert wurden. Sie war der Kopf der ganzen Operation, während mein Vater und ich uns wie zwei Kinder benahmen. Hin und wieder trug sie uns eine Aufgabe auf, damit wir auch das Gefühl bekamen, einen Beitrag bei der Planung zu leisten. Während ich bereits mit der Entscheidung, wie viele Unterhosen ich für die dreiwöchige Reise mitnehmen sollte, restlos überfordert war (bei Baba Hajdana in Montenegro konnte man zum Beispiel nur sporadisch

16 *Kolo* ist ein traditioneller Volkstanz, bei dem man meistens händehaltend im Kreis steht und eine gegebene Schrittchoreografie tanzt, die so einfach gehalten ist, dass man sie auch nach mehreren Gläsern *rakija* über die Bühne bringen kann.

Wäsche waschen, weil im Sommer die Wasserleitungen ausfielen und es nur an manchen Tagen fließendes Wasser gab – das musste bei der Planung natürlich berücksichtigt werden), packte meine Mutter nicht nur ihren eigenen Koffer und den meines Vaters, sondern auch alles andere.

Die eigentliche Herausforderung bestand nämlich darin, nicht nur ausreichend Kleidung für uns selbst mitzunehmen, sondern auch alle möglichen Gebrauchsgegenstände des täglichen Lebens für unsere Verwandten: Vor allem seit über Serbien und Montenegro anlässlich ihrer Angriffskriege Sanktionen verhängt worden waren, fehlte es dort an allen Ecken und Enden: Seife, Waschmittel, Medikamente, Schokolade oder Zigaretten waren über Nacht zu Luxusgegenständen geworden, die nun jenen vorbehalten waren, die Familie oder Freunde im Westen hatten. Eine Tafel Schokolade, verpackt in hauchdünnem, glitzerndem Geschenkpapier, das beim Öffnen alle Haare im Umkreis von einem Meter elektrisierte, wurde zu einem großzügigen Geschenk für alle Anlässe. Für einen königsblauen Tegel *Nivea Creme* konnte man schon überlegen, sein Haus zu verkaufen – das war vermutlich noch die stabilste Währung, denn: Selbst die Produkte, die es in den Supermärkten noch zu kaufen gab, konnte man sich mit Geld meistens nicht leisten. Die Inflationsrate war nämlich so hoch, dass das Gehalt, das man am Vormittag ausgezahlt bekommen hatte, am Nachmittag nur mehr einen Bruchteil wert war. Baba Hajdanas Pension reichte damals gerade einmal für einen halben Block Margarine aus.

Daher verbrachten meine Eltern jedes Jahr die Wochen vor unserer Abreise damit, in Wiener Neustadt von Geschäft zu Geschäft zu hetzen, um möglichst viele dieser heiß begehrten Liefergüter zu einem möglichst niedrigen Preis zu ergattern. *Sale* wurde zu ihrem Lieblingsdesigner. Da mein Vater der unbestreitbare Profi auf dem Gebiet war, sammelte er akribisch jeden einzelnen

Werbe-Newsletter aller uns bekannten Supermärkte oder Bekleidungsgeschäfte, den er in die Finger bekommen konnte. Jedes Jahr erstellte er eine Liste mit all den Orten, die er mit dem Auto abfahren musste, um das billigste Angebot für Palmolive Duschgel oder Milka Schokolade zu erhalten. Daran, dass die durch seine Schnitzeljagd entstandenen Benzinkosten die erhoffte Ersparnis im Supermarkt übersteigen könnten, hatte niemand gedacht.

Eines Sommers rief ein beliebtes Schuhgeschäft in Wiener Neustadt überraschend seine Zahlungsunfähigkeit aus. Wir wussten, was das bedeutet: Alles muss raus, alle Schuhe um –70 %. Wir mussten sofort zuschlagen, bevor andere auf dieselbe Idee kamen. Da wir nicht die Zeit hatten, die Schuhgrößen all unserer Verwandten in Erfahrung zu bringen, nahmen wir einfach alles mit, was wir vorfanden: von Fußballschuhen in Größe 36 bis zu lackledernen Stöckelschuhen in Größe 42. Irgendein Abnehmer würde sich schon finden – wenn nicht aus der Familie, dann zumindest ein Nachbar.

Diese Besorgungen für unsere Verwandten waren jedoch nicht der einzige Grund für die heftigen Streitereien zwischen meinen Eltern: Vor allem die Frage, wem wir wie viel Geld mitnahmen, sorgte jedes Jahr für zähe Verhandlungsrunden. Sie endeten meistens damit, dass sich mein Vater in Rage schrie, während ihn meine Mutter mit wütenden Tränen in den Augen schweigend in Grund und Boden starrte: Warum bekommt Baba Hajdana in Montenegro neben dem Blutdruckmessgerät obendrauf noch 200 D-Mark[17] geschenkt, während seine Mutter in Serbien, Baba Desanka, nur mit sieben Kubikmetern Brennholz für den Winter versorgt wird?

17 Wegen der hohen Inflation wurden während dieser Zeit auch in Serbien und in Montenegro anstatt des Dinars primär ausländische Währungen wie der Dollar oder die Deutsche Mark verwendet.

Warum unterstützen wir Onkel Rade beim Kauf seiner Studienbücher, während Onkel Boban nur ein 25 Kilogramm schweres Schwein bekommt?

Tetris

Wir fuhren immer am ersten oder zweiten Sonntag im August los. Da sich die österreichischen Familien sonntags auf den Heimweg von ihren Urlauben machten, waren die Straßen in Richtung Süden nicht so stark befahren, und an den Grenzen staute es sich weniger als sonst. Jedes Jahr wollten wir schon um 7 Uhr morgens losfahren, und jedes Jahr endete es damit, dass wir die Wohnung doch erst um 13 Uhr verließen – meistens lag das an meinem Vater, der sich noch schnell seinen ganzen Körper rasieren oder das Auto von innen und außen reinigen wollte. Nachdem wir uns von all den Streitereien erschöpft in das bis auf den letzten Quadratmillimeter vollgestopfte Fahrzeug gequetscht und eine halbwegs erträgliche Sitzposition gefunden hatten, konnte die Reise endlich losgehen.

Unser erstes Reiseziel war Požega, eine Kleinstadt in Serbien, die ungefähr zwei Stunden südwestlich von Belgrad liegt und wo ein Teil meiner Familie väterlicherseits lebt. Die Autofahrt nach Požega dauerte um die zwölf Stunden, was in erster Linie daran lag, dass unser Renault 4 nur 34 PS hatte und der Motor ab 90 km/h seltsame Geräusche von sich gab.

Diese Autoreisen gehören zu den ereignislosesten und gleichzeitig eindringlichsten Erinnerungen meiner Kindheit. Wenn ich an sie zurückdenke, sitze ich nicht angeschnallt auf dem Rücksitz (im Renault 4 waren hinten keine Anschnallgurte eingebaut worden – das hatte in Österreich bereits mehrmals zu ratlosen Blicken und Diskussionen mit Polizisten geführt), vor mir mein schimpfender Vater am Lenker und neben ihm meine Mutter mit einer riesigen faltbaren Landkarte im Schoß. Immer wieder reicht ihr verdrehter Arm zu mir nach hinten – sobald er mich gefunden hat, streichelt er kurz über mein Knie, und meine Mutter gibt mir einen sanften Blick über ihre Schulter. Manchmal lege ich meine Hand auch in ihre und lasse mich so lange von ihr wärmen, bis ihr Arm einschläft.

Unser Renault 4 war ein Paralleluniversum, in dem die Zeit dahinfloss wie der zähe Kaugummi, den man von der Supermarktkassiererin in Požega als Ersatz dafür bekam, weil sie gerade nicht genügend Rückgeld in der Kassa hatte. Begleitet wurde unsere unendliche Reise von einer unendlichen Spirale der immer selben Ex-Yu-Poprocksongs:

Šta se ovo majko moja sa mnom dogodi,
slomilo se sve u meni grom me pogodi.
Kao da sam lutka koja bol ne osjeća,
ostavi me ljubav moja usred proljeća.
Preko polja za mnom idu dvije muzike,
jedna uvijek tugu svira da me ubije.
Druga samo jednu pjesmu, pjesmu ljubavi,
pjesmu koju neću moći ja preboljeti.[18]
Željko Bebek, *Oprosti mi, što te volim*

18 Mutter, was ist mit mir passiert?
Alles in mir zerbrach, als ein Blitz mich traf.
Als wäre ich eine Puppe, die keinen Schmerz empfindet,
ließ mich die Liebe mitten im Frühling zurück.
Zwei Musiken folgen mir über das Feld,
die eine spielt immer nur die Trauer, um mich zu töten,
die andere nur ein Lied, das Lied der Liebe,
das Lied, das ich nie überwinden werde.

Mein Vater hatte seine Lieblingssongs auf unzähligen Kassetten gesammelt, die er fein säuberlich im Handschuhfach verstaut hatte. Wie auch der Boden in der Wohnung, gehörte das Auto zu seinem Reich, in dem er über die ausschließliche Entscheidungsgewalt verfügte – und dazu zählte eben auch die Musikwahl. Selbst wenn ich heftig protestierte, wechselte meine Mutter daher während der gesamten Fahrt nur auf sein Kommando hin die Kassetten im Autoradio. Diese Musikkassetten kaufte mein Vater meistens in Serbien am Markt oder in der Nachbarschaft bei einem Mann namens Zlatko, den er noch aus der Schule kannte. Zlatko hatte aus dem Hinterzimmer seines Hauses eine provisorische Werkstatt gebaut, in der er im kalten Neonlicht bis tief in die Nacht jedes der Menschheit bekannte elektronische Gerät reparierte und nebenbei auch noch Kassetten mit Ex-Yu-Poprock-Klassikern bespielte. Als wir einige Jahre später unseren Renault 4 durch einen Honda Civic und damit ein Radio mit einem CD-Spieler ersetzten, brannte Zlatko jede einzelne Kassette aus der Sammlung meines Vaters sorgfältig auf CDs, sodass wir für immer dieselben Songs hören konnten.

Diese Lieder, die sich fast immer um dieselben Themen drehten – meistens gesungen von Männern, die sich erst in ihre Frauen verliebten, nachdem sie verlassen worden waren –, wiegten mich mit ihren repetitiven und beinahe meditativen Klängen im besten Fall in den Schlaf. Da Schlafen die effektivste Methode war, um die vielen Stunden im Auto einigermaßen zu beschleunigen, versuchte ich in den Nächten vor unserer Abfahrt auch immer möglichst spät ins Bett zu gehen, um ausreichend Müdigkeit für die Reise anzusammeln.

Manchmal erwies sich das jedoch als gar nicht so einfach, im Auto zu schlafen: nicht nur, weil ich mir in der Regel den schmalen Rücksitz mit Koffern oder irgendwelchen alten Haushaltsgeräten für unsere Verwandten teilen musste, sondern auch wegen der unerträglichen Hitze, die im Innenraum herrschte. Der Renault 4 hatte natürlich keine Klimaanlage; die bunten Geschirrtücher, die wir an den Fensterscheiben befestigt hatten, um die Sonneneinstrahlung einigermaßen abzuschatten, halfen nicht wirklich, im Gegenteil: Durch die Sonnenstrahlen aufgewärmt, verströmten sie noch dazu einen muffig-süßen Zwiebelduft, der sich nach jahrelanger Verwendung in den Geschirrtüchern festgesetzt hatte und den nicht einmal ein neunzig Grad heißer Waschgang in der Waschmaschine mehr abtöten konnte.

Warmer Benzinduft

»Kad će ptica orao?« (»Wann kommt der Vogel Adler?«[19]) Als ich noch jünger war, ging ich meinen Eltern alle paar Minuten damit auf die Nerven. Mit *ptica orao* meinte ich die riesige Bronzestatue eines Adlers auf einem Hügel in der ungarischen Stadt Tatabánya, an der wir auf unserem Weg nach Serbien vorbeifuhren. Mit einer Flügelspannweite von fünfzehn Metern konnte man das imposante Bauwerk auch von der Autobahn aus erkennen. Dieser Vogel war der absolute Höhepunkt der gesamten Reise – daran änderte sich auch nichts, als ich ins Gymnasium kam. Meine Eltern wussten, dass sie mich um jeden Preis aufwecken mussten, wenn wir an Tatabánya vorbeifuhren, weil ich sonst die gesamte restliche Reise über beleidigt blieb – als ich älter wurde, konnte ich meine Kränkung lediglich besser verstecken. Sobald wir uns der Statue näher-

19 Ich weiß nicht, wieso ich als Kind nicht einfach nur »orao« bzw. »Adler« gesagt, sondern immer »ptica« bzw. »Vogel« vorangestellt habe, aber jedenfalls bürgerte sich der Name so ein.

ten, presste ich mein Gesicht ganz aufgeregt an die Fensterscheibe und kniff die Augen fest zusammen, um die Umrisse von *ptica orao* schemenhaft auszumachen. Mehrere Male versuchte ich aus dem Auto heraus ein Foto zu schießen, in der Hoffnung, darauf mehr von *ptica orao* zu erkennen, aber mit der Kamera meines Vaters konnte ich nie nah genug an den Adler heranzoomen.

Die monotone Öde der Straßen wurde zum Glück regelmäßig durchbrochen, denn da der Automotor immer wieder gekühlt werden musste, um nicht zu überhitzen, blieben wir alle paar Kilometer an einer der zahlreichen Autobahnraststätten stehen. Dort konnten wir uns nicht nur ein wenig die Beine vertreten, sondern auch unsere mitgebrachte Jause verspeisen – Essen im Auto hatte mein Vater nämlich strengstens verboten. Unsere Jause bestand meistens aus Speck, Tomaten, faltigen weichen Kaisersemmeln sowie aus den ohnehin schon viel zu harten Eiern, die im heißen Auto weiter vor sich hin gekocht und das Eigelb in etwas verwandelt hatten, das mittlerweile mehr einem braungrünen Avocadokern ähnelte als einem Ei. Diese Mitbringsel breiteten wir am Autodach auf einem Geschirrtuch aus und verspeisten sie im Stehen, weil jeder von uns steife Knie hatte.

Ich glaube, ich bin noch nie einem Menschen begegnet, der so genüsslich essen kann wie mein Vater. Zu Hause in Wiener Neustadt verbrachte er oft Stunden am Esstisch, bis er endlich den letzten Bissen seiner Mahlzeit zu sich genommen hatte und sein Festessen mit einem »Uf, baš sam je najeo« (»Uff, ich bin richtig vollgegessen«) beendete. Ich konnte mir nie erklären, wie es ihm gelang, derart behutsam an einer Kartoffelsuppe oder an einer Portion Polenta in warmer Milch zu schlürfen, als handle es sich um eine exquisite Speise auf einem zu großen Teller in einem Haubenlokal. Wenn wir einmal ausnahmsweise doch gemeinsam zu Abend aßen und meine Mutter und ich bereits am Tischabräumen waren, beschwerte sich mein Vater noch langsam vor sich hin schmatzend darüber, dass wir nicht wussten, wie man das Leben genießt.

Das Leben genießen konnte er sogar am Raststättenparkplatz: Während die lebensmüden Lkw-Fahrer hinter ihren Lastern ihre vollen Blasen entleerten, schnitt er mit seinem Schweizer Taschenmesser, das er immer dabeihatte, große Stücke von einer Tomate, um sie dann direkt von der scharfen Kante herunterzubeißen. Mit seinem Hut von *Hervis* sah er aus wie ein Autobahncowboy, umgeben von warmem Benzingeruch und vorbeiziehenden Autos, wenn er so gemächlich kauend dastand und in die Ferne blickte, bevor er alles mit einem Liter Coca-Cola herunterspülte, »zato što se od koka kole dobro podriguje« (»weil man von Coca-Cola gut rülpst«).

Jedes Land hatte seine eigene Raststättenromantik. Selbst wenn man mit fortschreitender Reisedauer jegliches Raum- und Zeitgefühl verloren hatte – spätestens an den Toiletten in den Autobahnraststätten erkannte man binnen wenigen Sekunden, in welchem Land man sich gerade befand. In Serbien waren die Toiletten am schlimmsten: Hier stellte sich die Frage, ob man sich davor grauste, auf öffentlichen Toiletten zu sitzen, gar nicht mehr – es gab nicht einmal etwas, auf das man sich hätte setzen können. Das Standardklo war nämlich die Hocktoilette, also ein Loch im Boden. An einer serbischen Autobahnraststätte aufs Klo zu gehen war wie Freiluftpinkeln, nur ohne Luft: In den Häuschen, die um diese Löcher herum gebaut worden waren, herrschte eine Raumtemperatur von mindestens 50 Grad Celsius, was den bestialischen Gestank noch zusätzlich verstärkte, der einem bereits aus weiter Ferne ins Gesicht schlug und Fliegen und andere ungewöhnliche Fluginsekten aus der Umgebung anlockte. Ich versuchte, diese Toilettenbesuche so schnell wie möglich hinter mich zu bringen – nicht nur, weil ich Angst hatte, von einem der herumfliegenden

Insekten in den Hintern gestochen zu werden, sondern auch, weil ich beim Pinkeln so lange die Luft anhielt, bis mir schwarz vor Augen wurde. Während ich so schnell und stark wie möglich zu pressen versuchte, verhandelte ich jedes Mal aufs Neue mit mir aus, was wohl schlimmer war: durch das lange Luftanhalten ohnmächtig zu werden, auf dem nassen Boden auszurutschen und im schlimmsten Fall vornüber mit dem Gesicht in fremden Exkrementen zu landen, oder aber einen kurzen Atemzug zu riskieren, was allerdings ebenso in Ohnmacht enden konnte. Meistens entschied ich mich für die erste Option: Das bedeutete aber auch, dass mir nach dem letzten Tropfen nicht genug Luft in der Lunge blieb, um mein Geschäft mit der beigestellten Plastikschüssel Wasser hinunterzuspülen.

Nicht nur die Qualität der Raststätten, auch die der Straßen nahm ab, je weiter wir vordrangen. Mit jedem Kilometer wurde der Weg holpriger und der Asphalt brüchiger. Autobahnen gab es immer seltener; ab der serbischen Grenze fuhr man damals überhaupt nur noch auf Land- oder auf Schnellstraßen (daran änderte auch die Tatsache nichts, dass die Serben sie »Autobahn« nannten). Die strahlend blauen österreichischen Straßenschilder verwandelten sich langsam in ausgebleichte gelbe Platten, auf die Jugendliche in großen Buchstaben ihre Namen oder nationalistische Parolen gesprayt hatten.

Das Misstrauen gegenüber dem Staat und bestehenden Infrastrukturen war auch am Fahrverhalten der anderen Verkehrsteilnehmer spürbar. Je weiter südlich man sich befand, desto aggressiver wurden die anderen Autofahrer. Dass ein Auto an einem der wenigen Zebrastreifen stehen blieb, wurde zum äußerst seltenen Anblick; die Fußgänger erwarteten das aber sowieso nicht. Sollte ein Auto ausnahmsweise abbremsen, wagten sie sich nur langsam und zögerlich über die Straße. Das Einzige, worauf man sich damals verlassen konnte, war das Böse im Menschen und die Solidarität im Unrecht: Sobald eines der entgegenkommenden Autos seine Scheinwerfer kurz aufblitzen ließ, wusste man, dass Polizisten in der Nähe waren und man sich wieder an die Geschwindigkeitsbegrenzung halten musste. Man geriet nämlich schnell in Zugzwang, seinen eigenen Fahrstil an den geltenden Aggressionspegel anzupassen – niemand wollte der einzige Idiot sein, der sich an die Verkehrsregeln hielt und dadurch womöglich sogar auch noch einen Autounfall verursachte. »Pa valjda nećeš da završimo kao oni englezi u avionu« (»Du willst doch nicht etwa, dass wir wie diese Engländer im Flugzeug enden«), erinnerte mich mein Vater, wenn ich aufschrie, weil er zu schnell fuhr. Mit »diese Engländer« meinte er die britischen Passagiere, die in den Sechzigern angeblich alle ums Leben gekommen waren, als ein Flugzeug bei der Landung in Flammen aufgegangen war. Bei den darauf folgenden Ermittlungen habe sich herausgestellt, dass alle mit noch angelegten Sitzgurten verbrannt seien. Das nahm mein Vater als Beweis dafür, dass die britischen Passagiere nur deshalb gestorben seien, weil sie darauf gewartet hätten, bis ihnen jemand mitteilt, dass sie ihre Sitzgurte ablegen dürfen. Wir wollten nicht so dumm wie die gehorsamen Engländer sein, und so schnitten auch wir bald Kurven und überholten von rechts. Wir hatten den Westen verlassen.

Während mein Vater hochkonzentriert versuchte, möglichst jedem Schlagloch auszuweichen, und laut fluchte, was für ein gottverdammtes Drecksloch dieses Land war, versuchte ich mir einen Spaß aus der ganzen Sache zu machen. Neben »Zähl die Schlaglöcher« gehörte auch noch »Zähl die toten Tiere auf der Straße« zu meinen Lieblingsspielen. Bonuspunkte gab es, wenn ich das Tier identifizieren konnte; das war nämlich besonders schwer, vor allem, weil die toten Hunde, Katzen und Igel meistens schon zu dunkelbraunen Palatschinken plattgefahren worden waren, die nun in der heißen Sonne vor sich hin brutzelten.

Zu den größten Feinden auf der Straße gehörten die Lkws – sie galt es, um jeden Preis zu überholen. Besonders schwer gestaltete sich das auf der serbischen »Autobahn«, was vor allem daran lag, dass es nur eine Spur pro Fahrtrichtung gab. Jedes Mal, wenn mein Vater entschied, dass der günstigste Moment gekommen war, um mit 34 PS in ein Überholmanöver zu beschleunigen, schloss ich meine Augen ganz fest. Ich versuchte den Gedanken abzuschütteln, wie unser blitzblauer Renault 4 mit uns durch die Luft wirbelt und beim Aufprall in tausend glitzernde Metallstücke zerbirst, weil das entgegenkommende Auto auf der anderen Fahrspur doch schneller unterwegs war, als von meinem Vater kalkuliert.

Szeretlek (Ich liebe dich)

Fast genauso wichtig, wie unsere Körper unversehrt nach Serbien zu bringen, war es, dass die mitgebrachten Waren die Reise gut überstanden – oder zumindest der Großteil davon. Dass wir einen Teil des Lieferguts auf dem Weg vor allem für Polizisten oder Grenzbeamte opfern mussten, rechneten wir nämlich bereits vorab mit ein. Vor allem während der Kriege konnte bereits eine Tafel *Milka*-Schokolade wahre Wunder bewirken und die Reisezeit um einige Stunden verkürzen.

Die Zollbeamten an der ungarisch-serbischen Grenze waren die schlimmsten. Trotz taktisch gewählter Abfahrtszeiten stellten wir uns daher bereits mehrere Tage vor der Reise geistig darauf ein, fünf oder sechs Stunden in kilometerlangen Autokolonnen in der sengenden Hitze verbringen zu müssen, bevor wir die Staatsgrenze passieren und weiterfahren konnten. Als ich noch jünger war, freute ich mich jedes Mal, wenn ich in der Kolonne ein Auto mit einem österreichischen Kennzeichen im Rückspiegel sah: »Wow, wie cool, österreichische Touristen, die nach Serbien fahren!« Meistens hörte ich die Touristen dann aber ein paar Meter weiter mit den Grenzbeamten auf B/K/M/S diskutieren.

Mit langen Wartezeiten musste man selbst dann rechnen, wenn nur eine Handvoll Autos vor dem Grenzübergang stand. Die ungarischen Zollbeamten schienen nämlich nichts auf der Welt mehr zu lieben, als Reisende mit ihren sadistischen Spielchen zu quälen. Sie waren in der gesamten Region berüchtigt dafür, regelmäßig mitten in der Nacht ganze Autobusse zu evakuieren und stundenlang zu durchsuchen – wonach sie suchten, fand man nie heraus. Während die Grenzbeamten den Bus auseinandernahmen, blieb den müden Gastarbeitern meist nichts anderes übrig, als draußen zu warten und sich in der Nachtkälte zu einer Menschentraube zusammenzurotten. Dabei sahen sie aus wie kleine Tiere in T-Shirts und kurzen Hosen, die versuchten, sich mit ihren Körpern gegenseitig warm zu halten, während sie mit tiefen Ringen unter ihren Augen zusahen, wie ihre sorgfältig zusammengefalteten Kleider, Mitbringsel für die Familie und ihr Reiseproviant durch die Hände von zwanzigjährigen schlaksigen Buben in dunkelblauen Uniformen gereicht wurden. Mit unserem Renault 4 saßen wir zweifellos im besseren Boot als die Gastarbeiter im Bus, wenn nicht sogar in einer Luxusyacht.

Nachdem wir die Wartezeit in der Kolonne ohne Hitzeschlag überstanden hatten, ging es ans Eingemachte: Sobald wir nämlich mit dem Auto in den Schatten des Inselgebäudes am Grenzübergang gerollt waren, musste jeder von uns ganz schnell in seine zugewiesene Rolle schlüpfen:

Meine Aufgabe war es, mich während des gesamten Grenzübertritts schlafend zu stellen. Um meinen Tiefschlaf täuschend echt aussehen zu lassen, fing ich manchmal auch an, ein bisschen zu sabbern. Wenn wir Glück hatten, erwischten wir einen naiven Grenzbeamten, der bei dem Anblick eines schlafenden Kindes auch tatsächlich Gnade walten und uns rasch weiterfahren ließ. Solange ich noch als Kleinkind durchgehen konnte, versteckten meine Eltern außerdem die besonders wertvollen Gegenstände unter meinem Körper – für den Fall, dass unser Auto von den Zollbeamten durchsucht werden sollte: Bargeld, Betablocker für Baba Hajdana und Diabetesstreifen für Đed Milutin, außerdem Blutdruckmittel für alle und Antidepressiva für diejenigen, die zugaben, dass sie sie brauchten, sowie für alle anderen, die noch dazu überredet werden sollten.

Mein Vater sorgte für gute Laune während der Grenzkontrolle. Er machte durchgehend Scherze wie, dass wir unsere Reisepässe zu Hause vergessen hätten oder eine Bombe im Kofferraum versteckt hielten (nach dem 11. September 2001 funktionierten diese Witzchen allerdings nicht mehr so gut). Dazwischen streute er die einzigen zwei ungarischen Wörter, die er kannte: *Igen* (ja) und *Szeretlek* (ich liebe dich). Manchmal schaffte er es sogar, damit einem Grenzbeamten ein Lächeln zu entlocken.

Meine Mutter spielte schließlich die vernünftige Beifahrerin, die auch gerne mal einlenkte, wenn ein Witz meines Vaters zu weit ging. Sie grüßte die Beamten kühl, aber freundlich und übernahm den Großteil des restlichen Gesprächs, das sie versuchte, in eine ruhige und entspannte Richtung zu lenken. In Wahrheit hatten wir die Kontrolle über die Situation spätestens in dem Moment verloren, in dem wir unsere Reisepässe in die Hände der Grenzbeamten gelegt hatten, denn ab diesem Augenblick waren wir ihren perversen Spielchen gnadenlos ausgeliefert.

Ihre ersten Amtshandlungen waren meistens noch harmlos: Sie durchblätterten den Reisepass, drehten ihn immer wieder nach links und nach rechts, hielten die Seiten gegen das Licht und verglichen die Passbilder mit unseren verschwitzten Gesichtern. Wenn sie damit fertig waren, drückten sie den Pass einem Kollegen in die Hand, der die Prozedur wiederholte, während sich der erste Grenzbeamte genüsslich eine Zigarette anzündete. Nachdem auch der zweite Grenzbeamte jeden Quadratmillimeter des Reisepasses abgegriffen hatte, gab er ihn schließlich einem dritten weiter, der dann wortlos für mindestens zwanzig Minuten irgendwohin damit verschwand.

»Rechts ranfahren bitte« war der schlimmste Satz, den man an der Grenze hören konnte. Diese drei Wörter hießen, dass wir zumindest die kommende Stunde damit verbringen durften, uns für jeden einzelnen Gegenstand im Auto zu rechtfertigen, bevor wir unsere Reisepässe wieder zurückbekommen würden. »Wohin fahren Sie? Wie viel Bargeld haben Sie dabei? Warum sind fünf Liter Persil in Ihrem Kofferraum?«

Meistens konnte man die Befragung abkürzen, indem man dem Grenzbeamten zum richtigen Zeitpunkt eine Stange Marlboro als Tauschangebot für die Reisepässe vor die Nase hielt. Das Ganze musste man natürlich geschickt eingefädeln, denn wenn man nicht vorsichtig genug war, konnte man schon einmal der versuchten Bestechung bezichtigt werden. In weiser Voraussicht hatte meine Mutter daher alle Gegenstände, die wir bereit waren aufzugeben, an strategisch sinnvollen Orten im Auto platziert: Schokolade, Zigaretten, Coca-Cola und andere beliebte Tauschwaren hatte sie so verstaut, dass sie für den Grenzbeamten beim Öffnen des Kofferraumes schon auf den ersten Blick gut sichtbar waren. So konnte man die Sache für alle Beteiligten angenehmer und ohne Gesichtsverlust gestalten, auch weil der Zollbeamte dann nicht so lange im Auto herumwühlen musste, bis er einen Gegenstand gefunden hatte, der ihm für den Tauschhandel gefiel.

Die Grenzbeamten waren aber nicht die Einzigen, die mit der Kunst der Bestechung gut vertraut waren. Auch unglückliche Polizisten haben am Unglück anderer verdient.

Wenn man auf der Reise nicht mindestens einmal eines falschen Verbrechens beschuldigt wurde, hatte man irgendetwas falsch gemacht: Meistens hielten uns die Polizisten am Straßenrand unter dem Vorwand an, wir wären zu schnell gefahren und müssten deshalb Strafe zahlen. Auf die vorgeschlagene Höhe der Geldstrafe antwortete mein Vater meistens mit: »Gospodine, nemam toliko novca.« (»Mein Herr, so viel Geld habe ich nicht.«) »Onda daj šta imaš« (»Dann gib mir, was du hast«), entgegneten die Polizisten üblicherweise darauf. Für diese Situation war mein Vater gewappnet. Stets bedacht darauf, niemals Bargeld eingesteckt zu haben, stülpte er daraufhin die Innenseite seiner leeren Hosentasche um und sagte mit einem Schulterzucker: »Uzela mi je sve punica.« (»Meine Schwiegermutter hat mir alles genommen, was ich habe.«) Damit brachte er die serbischen Polizisten fast jedes Mal zum Lachen – ein wahrer Serbe hasste seine Schwiegermutter.

Dieser Trick funktionierte natürlich nicht immer, und manchmal blieb uns nichts anderes übrig, als den Wegzoll zu begleichen – wie etwa das eine Mal, als uns auf einer Landstraße zwischen Belgrad und Požega ein Polizist an den Straßenrand winkte. Nachdem mein Vater das Auto neben einem dürren Maisfeld zum Stillstand gebracht hatte, kurbelte er langsam die Seitenscheibe herunter und sah den Polizisten mit erwartungsvollem Blick an: Seine Hosentaschen waren geleert und bereit für das bevorstehende Schauspiel.

»Jeste li videli da ste prošli preko duple linije?« (»Haben Sie gesehen, dass Sie über die Sperrlinie gefahren sind?), fragte der Polizist meinen Vater. Während er sich durch das offene Fenster hineinlehnte, konnte ich die große Kalašnjikov genau betrachten, die quer über seine Brust baumelte. Ich fragte mich, was wohl passieren würde, wenn ich mich über den Fahrersitz lehnen und versuchen würde, dem Polizisten die Waffe zu entreißen.

Von einer Sperrlinie hatte ich noch nie etwas gehört – ich war damals auch erst acht Jahre alt, doch sogar mein Vater schien verdutzt. Er dürfte die übliche »Sie sind zu schnell gefahren«-Leier erwartet haben und wusste im ersten Moment offenbar nicht, was er dem Polizisten antworten sollte. Ich drehte mich auf dem Rücksitz um und versuchte zwischen den ganzen Koffern und Paketen einen Blick auf die Straße zu erhaschen. Alles, was ich sehen konnte, war jedoch flimmernder Asphalt, der in der Hitze mit dem Horizont verschwamm. Eine Sperrlinie konnte ich nirgends erkennen, aber ich hatte dieses Wort ja auch erst eben gelernt.

Auf der Suche nach dieser Linie hatten auch meine Eltern ihre Köpfe aus dem Fenster gestreckt. »Gospodine s poštovanjem, ali ne vidim nigde duplu liniju« (»Mit Verlaub, mein Herr, aber ich sehe keine Sperrlinie«), beschloss endlich mein Vater. Der Polizist hob daraufhin erstmals die Augen von seinem Notizbüchlein, in dem er bis dahin herumgekritzelt hatte. Mit strengem Ausdruck blickte er meinem Vater direkt ins Gesicht. »Bila je tu još do pre dva meseca« (»Sie war noch bis vor zwei Monaten zu sehen«), antwortete er in nüchternem Ton. Dabei legte er sanft seinen Zeigefinger auf den Abzug der Kalašnjikov. Wäre diese Geste nicht universell verständlich gewesen, hätten wir womöglich irrtümlich gedacht, er erlaube sich einen Scherz.

Eines Sommers waren wir erst spätnachmittags von Wiener Neustadt aufgebrochen. Meine Eltern hatten den Morgen damit verbracht zu streiten, und somit mussten wir einen großen Teil der Reise in der Nacht hinter uns bringen. Wenn mein Vater am Fahrersitz schon halb am Einschlafen war, übernahm meine Mutter das Lenkrad für die nächsten Kilometer, bis irgendwann auch ihre Augen beim Anblick der langen, dunklen Straße zufielen. Als kurz nach der serbischen Grenze mein Vater wieder hinter dem Lenkrad Platz genommen hatte, wurde er jedoch plötzlich von einem Licht geblendet. Jemand schien mit einer kleinen Taschenlampe am Straßenrand hektisch zu wedeln und deutete uns, rechts ranzufahren. Als wir uns der Gestalt näherten, konnten wir im gelben Scheinwerferlicht einen uniformierten Mann erkennen.

»Prebrzo ste vozili. Dozvoljeno je 70, a vozili ste 90.« (»Sie sind zu schnell gefahren. Die Geschwindigkeitsbegrenzung ist 70 km/h, Sie waren aber mit 90 km/h unterwegs«), drang es aus der dunklen Gestalt. Das mochte schon stimmen; es war mittlerweile so spät, und die Straße war so schlecht beleuchtet, dass mein Vater schon zufrieden war, solange er auf der richtigen Straßenseite fuhr.

Doch irgendetwas unterschied die Gestalt mit der Taschenlampe von den üblichen Polizisten, denen wir sonst begegneten. Mein Vater musterte den Mann von Kopf bis Fuß. Als er bemerkte, dass dieser Polizist keine Radarpistole in seiner Hand hielt, fragte er ihn: »A otkud znate koliko sam brzo vozio?« (»Und woher wissen Sie, wie schnell ich gefahren bin?«) Nach einer kurzen Stille entgegnete die Gestalt selbstbewusst: »Pa procenio sam.« (»Na, ich habe es geschätzt.«) In dem Moment fiel meinem Vater auf, dass nicht nur die Radarpistole fehlte, sondern auch seine Polizeiuniform merkwürdig aussah. Die Farbe war ungewöhnlich und bei näherem Hinsehen bemerkte er, dass auf seinem Brustabzeichen »Tschechoslowakische Polizei« stand. »A gospodine, da niste pogrešili uniformu?« (»Aber, mein Herr, kann es sein, dass Sie sich mit der Uniform vertan haben?«) Dem Polizisten war wohl entgangen, dass es nicht nur Jugoslawien, sondern auch die Tschechoslowakei nicht mehr gab.

Nach ungefähr zwölf Stunden und knapp achthundert Kilometern war es endlich so weit. Wir waren in Požega angekommen.

Schon beim Einbiegen in ihre Gasse konnten wir den jüngsten Bruder meines Vaters, Onkel Boban, und seine Frau Svetlana am Hauseingang erkennen. Sie lehnten an dem rostigen Zaun, der ihren kleinen betonierten Vorgarten vom Gehsteig trennte, und rauchten eine Zigarette. Das blaue Neonlicht, das aus dem Küchenfenster in den Vorgarten schien, hob ihre müden Gesichter von der dunklen Nachtkulisse ab und tauchte ihre tiefen Falten in gespenstisches Licht. Sobald sie das österreichische Autokennzeichen erkannt hatten, zogen sich ihre Falten jedoch in ein warmes, breites Lächeln, und sie fingen an, mit den glimmenden Zigaretten in der Hand in unsere Richtung zu winken. Noch bevor wir zum Stillstand gekommen waren, riss ich die Autotür auf und stürmte in ihre Richtung. Serbien war mit Abstand mein Lieblingsstopp der gesamten Reise – zum Glück besuchten wir unsere Verwandten dort auch immer zweimal pro Balkantour: einmal zu Beginn und dann noch ein zweites Mal am Rückweg von Montenegro nach Österreich.

In Serbien und Montenegro ist es üblich, sich zur Begrüßung drei Mal auf die Wange zu küssen – ganz egal, wer oder in welchem Zustand die involvierten Parteien sind. Als Kind hasste ich diese Begrüßungsart: Jedes Mal, wenn meine Verwandten oder irgendwelche alten Frauen aus der Nachbarschaft zum Kuss ausholten, schloss ich ganz fest meine Augen und hielt den Atem so lange an, bis sie von mir abließen und ihr nächstes Kussopfer anvisierten. Fast jeder hier hatte Zahnprobleme und dementsprechend starken Mundgeruch. Als ich älter war, versuchte ich daher einmal, Baba Hajdana in Montenegro ausnahmsweise zur Begrüßung zu umarmen: Sie dürfte allerdings nicht gewusst haben, was sie dabei mit ihren Armen machen sollte, denn sie stand während der gesamten Umarmung da wie ein festgefrorener Pinguin.

Nach einem ausgiebigen Begrüßungszeremoniell mit Onkel Boban und Tante Svetlana sowie einer intensiven Auseinandersetzung darüber, wer wie viel zugenommen oder abgenommen und wer mit dem Rauchen aufgehört oder wieder angefangen hatte, bewegten wir uns langsam in das Haus hinein. Unser lautes Gerede im Vorgarten dürfte wohl meine Cousine Jovana und meinen Cousin Nikola geweckt haben – da wir fast jedes Jahr erst nach Mitternacht in Požega ankamen, waren die beiden meistens bereits am kleinen Ausziehsofa in der Küche eingeschlafen. Von dem Moment an, in dem Jovana und ich uns in die Arme geschlossen hatten (zwischen Kindern konnte auf die drei Wangenküsse verzichtet werden), blieben wir für die nächsten drei Wochen unzertrennlich.

Sie war auch der Grund, weshalb ich mir lange Zeit nichts Tolleres vorstellen konnte, als meinen Sommer in Serbien zu verbringen. Jovana war nur drei Monate älter als ich und der einzige andere Mensch, dem ich ähnlich sah – mit Ausnahme von meinem Vater natürlich, denn ich war buchstäblich eine kleinere Version von ihm mit Perücke. Jovana hatte wie ich ein längliches Gesicht, eine gut sichtbare Nase, einen breiten Kiefer und blaue Augen. Ihre Zähne waren zwar etwas gerader und ihre langen Haare dunkler und kräftiger als meine, aber abgesehen davon sahen wir uns so ähnlich, dass wir oft für Schwestern gehalten wurden. Eines Sommers ging ich sogar mit ihrem Personalausweis zum Arzt und gab mich als sie aus – ich hatte eine schmerzhafte Ohrenentzündung und keine Versicherung. Doch auch sonst machten wir uns gerne einen Spaß daraus, irgendeine wilde Geschichte zu erfinden, wieso eine Schwester in Serbien lebte und die andere in Österreich:

Eigentlich wären wir zweieiige Zwillinge, die man bei der Geburt getrennt hätte, unsere Eltern hätten sich scheiden lassen, ich wäre auf eine Eliteschule nach Österreich geschickt worden und so weiter. Technisch gesehen war das nicht einmal eine Lüge, denn in Serbien nennt man seine Cousine »sestra« (»Schwester«).

Divlji zapad (Wilder Westen)

Als wir noch jünger waren, schliefen Jovana und ich immer bis mindestens Mittag, bevor wir mit hungrigen Mägen für unser mittägliches Frühstück in Richtung Küche marschierten. Dort wurden wir jeden Tag von unseren Müttern mit einem langen »Oooh, dobro jutro. Jeste li se naspavale?« (»Oooh, guten Morgen, na, seid ihr ausgeschlafen?«) empfangen, die schon ihren fünften Kaffee schlürften.

Dass Jovana und ich so lange schliefen, lag vor allem daran, dass vom Nachbargrundstück jede Nacht bis in die frühen Morgenstunden Hochgeschwindigkeits-Turbofolk aus einer Soundanlage dröhnte, die ungefähr so laut war wie eine Flugzeugturbine. Da es keinen Unterschied hinsichtlich der Lautstärke machte, ließen wir die Fenster nachts offen, um zumindest nicht in der schwülen Hitze zu ersticken. Der Nachbar hatte nämlich eines Tages beschlossen, seinen Garten in eine Freiluftanlage für Live-Konzerte zu verwandeln. Seither war sein Grundstück jede Nacht überlaufen von besoffenen Männern, die zum Vibrato der leicht bekleideten Livesängerinnen mitgrölten. Ab ungefähr 2 Uhr fingen sie dann an, miteinander zu streiten, nicht selten kam es auch zu Schlägereien. Eine Genehmigung für diese Konzerte hatte der Nachbar natürlich nicht, aber Serbien führte Krieg, und niemand interessierte sich für Gewerberecht.

Ein weiterer Grund dafür, dass wir meistens erst gegen 4 Uhr morgens eindösten, war unser Schlafarrangement: Während Onkel Boban und Tante Svetlana auf dem Ausziehsofa in der Küche nächtigten, teilten meine Mutter, Nikola, Jovana und ich uns das kleine Schlafzimmer neben dem Bad, aus dem es selbst bei geschlossener Tür bestialisch nach Kanalisation stank (Grund dafür war die »septička jama«, die Klärgrube im Garten – Nikola drohte Jovana und mir immer, er würde uns dort hineinwerfen, wenn wir uns über ihn lustig machten). Meine Mutter und Nikola schliefen in dem hölzernen Stockbett, während Jovana und ich versuchten, es uns in unserem Wolldeckenlager am Boden bequem zu machen. So lagen meine Cousine und ich jede Nacht unter den kleinen leuchtenden Sternenstickern an der Zimmerdecke auf unseren Rücken und taten so, als wären wir irgendwo im Freien unter dem Sternenhimmel und als würde es sich bei den Schnarchgeräuschen meiner Mutter und meines Cousins um Grillenzirpen handeln.

Nachdem Jovana und ich zum Frühstück zu zweit das Innere eines ganzen Laibs Weißbrot mit *Eurocrem*[20] verschlungen hatten (die Brotrinde ließen wir übrig, wofür wir immer geschimpft wurden) sowie ein Glas cremiger Kuhmilch, die Tante Svetlana immer in einem kleinen Kochtopf im Kühlschrank aufbewahrte, konnte unser täglicher Abenteuerzug durch die Stadt beginnen.

Jeder Tag fing mit einem ausgiebigen Abstecher zum Hauptplatz an, dem *Trg Slobode* (Platz der Freiheit) – dort versammelten sich die Jugendlichen Požegas. Je nachdem, wie alt Jovana und ich

20 *Eurocrem* ist das *Nutella* des Balkans: Ein braun-weißer Schokoladenaufstrich (der braune Teil ist angeblich Kakao und der weiße Haselnuss). Später erfuhr ich, dass es bei meinem Onkel und meiner Tante immer nur Eurocrem gab, wenn wir zu Besuch waren.

gerade waren, gesellten wir uns zu einer anderen Gruppe hinzu: An einem Ende des Platzes standen die Mittelschüler[21] sowie der eine oder andere Zwanzigjährige, der offenbar keinen Anschluss an Gleichaltrige gefunden hatte und sich deshalb als weiser Anführer einer verpickelten Teenagergruppe aufpudelte. Stundenlang saßen sie breitbeinig auf Holzbänken und spuckten salzige Sonnenblumenschalen auf den Boden, aus denen sie davor gekonnt die Kerne gezuzelt hatten, bis sich ein kleiner Berg vor ihren Füßen bildete. Als wir jünger waren, gingen Jovana und ich am liebsten zum Miniautoverleih in der Mitte des Platzes, wo man für ein paar Dinar[22] um den Hauptplatz herumfahren und sich wie ein wichtiger Erwachsener mit einem kleinen Mercedes fühlen konnte. Erwachsen zu werden schien hier das höchste Ziel im Leben eines Kindes zu sein. Dementsprechend hatten sie bereits mit fünf Jahren Augenringe und sprachen und gestikulierten auch sonst wie Dreißigjährige – das Einzige, was sie noch von Erwachsenen unterschied, war ihre Körpergröße und die fehlende Zigarette in der Hand. Obwohl ich in der gleichen Schulstufe war wie Jovana, fühlte ich mich neben ihr und ihren Freundinnen daher auch immer wie ein kleines naives Kind: Sie redeten über Politik und über Geld, schauten statt Zeichentrickfilmen lieber die Nachrichten, passten auf ihre Geschwister auf und kochten mit dem Gaskocher Kaffee für Gäste.

Ich konnte mir damals kein besseres Leben vorstellen: Požega war wie ein Open-World-Computerspiel, in dem alles möglich war. Hier gab es keine Eltern, keine Deutsch-Professoren und keine

21 In Serbien geht man acht Jahre zur Volksschule (osnovna škola). Danach besteht die Möglichkeit, vier Jahre lang eine Mittelschule (srednja škola) zu besuchen.

22 Dinar ist die serbische Währung.

Regeln. Wir verbrachten unsere Tage damit, von Stadtrand zu Stadtrand zu laufen, kletterten über Absperrungen, wateten im Fluss *Skrapež* und spielten mit Mini-Fröschen, spuckten um die Wette und spielten Fußball auf der Straße (Autos waren relativ). Jeden Tag passierte nichts und gleichzeitig alles. Unser einziges gelegentliches Ziel war die Erledigung der kleinen Besorgungen, mit denen uns Tante Svetlana hin und wieder beauftragte, wie zum Beispiel ein Kilogramm kajmak[23] oder mladi sir[24] am Markt oder irgendeinen Nähstoff abzuholen.

Wenn wir vom ganzen Herumlaufen müde wurden, besuchten wir Jovanas Schulfreundin Teodora Stanisavljević. Teodora zählte zwar nicht zu ihren engsten Freundinnen, dafür aber zu ihren reichsten. Teodoras Vater gehörte das Möbelgeschäft beim Friedhof, in dem Jovana und ich auf unseren Streifzügen manchmal aus Langeweile jedes ausgestellte Ledersofa ausgiebig probesaßen. Das Haus, in dem sie wohnte, war das größte in der ganzen Nachbarschaft: ein drei Stockwerke hoher Ziegelpalast (auf eine Fassade hatten auch sie verzichtet) mit einer gewaltigen Satelliten-Antenne am Dach, die alle TV-Sender dieser Welt empfangen konnte. Wenn wir bei Teodora zu Besuch waren, verschanzten wir uns in ihrem Wohnzimmer, breiteten uns zu dritt auf dem dunkelbraunen Ledersofa aus, tranken zuckersüßen Multivitaminsaft und starrten so lange in den Fernseher, der gefühlt so groß war wie Jovanas ganzes Haus, bis wir ganz weich im Kopf wurden: amerikanische Komödien (mit denen wir Englisch lernten), Teleshopping-Kanäle (mit denen wir alles über Gemüseschneider lernten),

23 Kajmak wird aus Rahm gewonnen und als Beilage zu Ćevapi (oder wie man in Österreich und Deutschland sagt: Ćevapčići) oder mit Brot gegessen.

24 Eine Art von Frischkäse.

Zeichentrickfilme, Kriegsreportagen, Pornos und alles andere, was uns sonst noch unterkam. Die Fernbedienung gab Jovana erst wieder aus der Hand, wenn es Zeit wurde, nach Hause zu gehen.

Insgeheim bewunderte ich Jovana. Sie hatte einen aufrechten Gang und ein schallendes Lachen. Selbst als sie noch lauter Zahnlücken hatte, war ihr Mund dauernd offen: Sie konnte gut zurückreden und diskutieren, fluchen und am weitesten von allen spucken. Wenn ihr etwas nicht passte, ließ sie es alle Anwesenden spüren. »Šta se tako mrštiš?« (»Warum runzelst du so die Stirn?«), fragte Tante Svetlana sie dann immer. Jovana schien außerdem vor nichts Angst zu haben: Wenn uns jemand auf der Straße blöd anging, hatte sie immer einen passenden Spruch parat, meistens reichte aber bereits ihr zischendes »Mrš« (»Marsch«): Diese drei Konsonanten spuckte sie nämlich mit derart viel Hass und *drskost*[25] aus ihrem zierlichen Brustkorb, dass es oft keiner weiteren Worte brauchte, um den Belästiger zum Rückzug zu zwingen. Falls es mal Streit in der Freundesgruppe gab, ging Jovana selbstbewusst dazwischen und übernahm schnell einmal die Diskussionsführung, bis sich der Konflikt einigermaßen auflöste.

Ich wollte auch sein wie Jovana, fühlte mich neben ihr und ihren Freunden aber eher wie ein gestriegelter Golden Retriever: blond, gut genährt und nichts Böses ahnend. Ich versuchte mitzuhalten, doch flog spätestens auf, sobald ich den Mund aufmachte. Mein Akzent sei komisch, ich klinge, als wäre ich aus einem Bergdorf in Montenegro. Dass ich andauernd »Bitte« und »Danke« sagte, fanden außerdem nicht nur Jovanas Freunde komisch, sondern auch meine Verwandten. »Pa šta misliš da ću te pustiti da umreš

25 Das Pons-Online-Wörterbuch übersetzt *drskost* mit »Unverschämtheit« oder »Frechheit«, ich würde das noch um »stolze (manchmal auch dumme) Sturheit« ergänzen.

od gladi? Zašto se zahvaljuješ celo vreme? Prestani s tim glupostima« (»Denkst du etwa, ich lasse dich verhungern? Oder warum bedankst du dich die ganze Zeit? Hör auf mit dem Blödsinn«), lachte Onkel Boban, wenn ich ihn fragte, ob ich bitte noch einen Ćevap haben konnte.

Als wir ungefähr sieben Jahre alt waren, hatte mir Tante Svetlana etwas Geld gegeben, damit Jovana und ich am Markt gegenüber Brot und Paprika kaufen. Ich stürmte vor meiner Cousine aus dem Haus und war bereits auf der anderen Straßenseite, als mich auf einmal eine Gruppe Kinder aufhielt. Ein Junge forderte mich auf, ihm zu zeigen, was ich in der Hand hatte. Nichts ahnend öffnete ich meine Faust und zeigte ihm meine Handfläche voller Münzen. Noch bevor ich begreifen konnte, was gerade passierte, hatte bereits eines der anderen Kinder von unten auf meinen Handrücken geschlagen. Wie ein Konfettiregen flogen die bunten Münzen in alle Richtungen durch die Luft. Kaum waren sie am Asphalt gelandet, griffen die Kinder bereits nach ihnen und klaubten sie wie fleißige Ameisen auf. Jovana hatte mit offener Kinnlade das gesamte Geschehnis von der anderen Straßenseite aus beobachtet, doch als sie zu mir herübergelaufen kam, war es zu spät: Die kleine Räuberbande hatte sich bereits in alle Richtungen hin aufgelöst, und Jovana blieb nichts anderes übrig, als ihnen mit geballten Fäusten »Jebem vam majku« (»Ich ficke eure Mutter!«) hinterherzurufen. Als wir mit gesenkten Köpfen und ohne Brot und Paprika wieder in der Haustür standen, lachten alle über die reiche Cousine aus dem Westen, die den ältesten Trick der Welt nicht kannte – Hauptsache, original *Nikes*, aber dafür keine Ahnung vom Leben.

Ich fragte mich oft, ob ich genauso schlagfertig geworden wäre wie Jovana, wenn wir nach Serbien anstatt nach Österreich gegangen wären, ob auch ich nach der Schule am *Trg Slobode* Sonnenblumenkerne essen würde, so als wäre es das Selbstverständlichste der Welt und nicht eine nostalgische Erinnerung an den Heimaturlaub in einer Heimat, die nie eine war. Würde ich genauso aussehen wie jetzt? Wäre ich auch hier Schwimmerin?[26] Wäre ich genauso krampfhaft ehrgeizig geworden, oder hätte ich vielmehr dem Klischee des faulen Montenegriners entsprochen, der das Leben lieber langsamer angeht? Wäre ich stolz auf mein Land? Hätte ich bei der Nachricht über den Tod von Đed Milutin geweint, weil er für mich mehr gewesen wäre als nur ein ausgemergelter kettenrauchender Mann, den ich zehnmal in meinem Leben für jeweils fünf Sommertage gesehen habe?

Solche Fragen beschäftigten mich vor allem, wenn wir die Heimreise nach Österreich antraten. Nach drei Wochen sehnte ich mich meist schon nach Wiener Neustadt, nach den sauber gekehrten Straßen, den perfekt gemähten Getreidefeldern und meinem Lattenrost. Das waren auch die Momente, in denen sich Österreich am meisten wie mein Zuhause anfühlte –, wenn ich nicht dort war.

Jeder Sommer endete damit, dass sich die Brüder meines Vaters, Baba Desanka, sowie gelegentlich auch irgendwelche anderen Gäste, die gerade zufällig auf einen Kaffee gekommen waren und die man jetzt nur schwer hinausbitten konnte, in Onkel Bobans und Tante Svetlanas Vorgarten versammelten, um uns eine gute Reise zu wünschen. Wenn meine Mutter die Packprozedur

26 Ich glaube zwar nicht, dass es in Požega einen Schwimmverein gab, aber egal.

endlich abgeschlossen und den Kofferraum vorerst zum letzten Mal geschlossen hatte, ging es an die eigentliche Verabschiedung: Drei Küsse links, rechts, links, diesmal waren sie besonders feucht, weil jeder tränenüberlaufene Wangen hatten, und schon ging es ins vollbeladene Auto, das nach grünen Paprika[27], kajmak und pršut[28] roch. Nachdem wir den Motor gestartet hatten und losgefahren waren, goss Tante Svetlana manchmal noch einen Kübel Wasser hinter uns her, der einen lauten Klatscher auf dem Asphalt machte – fürs Glück auf der Heimreise. Während die anderen alle weinten (manchmal sogar die zufällig anwesenden Gäste), lehnten Jovana und Nikola mit versteinerten Mienen am Gartenzaun und winkten uns hinterher. Auch ich brach erst in Tränen aus, nachdem wir auf die Hauptstraße eingebogen waren, mein Vater zum Abschied noch gehupt hatte und ich sie nicht mehr durch die Heckscheibe sehen konnte. Wir fuhren ein letztes Mal an Herrn Stanisavljevićs Möbelgeschäft vorbei, und weg waren wir.

Während wir denselben Weg zurück nach Österreich nahmen, der sich bei der Rückreise mindestens doppelt so lang anfühlte, fragte ich mich nicht nur, wer ich, sondern auch, wer meine Eltern geworden wären, hätte man sie nicht zu ewigen Gästen in Österreich verdammt. Vielleicht würde meine Mutter tatsächlich als Forscherin nach einem Mittel gegen Leukämie suchen, so wie sie es sich mit zwölf Jahren nach Mijos Tod vorgenommen hatte. Vielleicht würden wir in einem großen dreistöckigen Haus ohne Fassade wie Teodora leben. Und vielleicht würde mein Vater die Böden in diesem Haus nicht so obsessiv putzen wie in unserer Wohnung in Wiener Neustadt.

27 In Österreich bekam man nie so guten grünen Spitzpaprika wie am Balkan.

28 Speck.

In Serbien verwandelte sich mein Vater nämlich in einen anderen Menschen. Hier trug er die Hemden, die in Österreich sonst ihr Dasein in den dunklen Ecken unseres Kleiderschranks fristeten. Eines Sommers hatte er sogar eine beige Leinenhose mitgenommen, die er vor Jahren einmal im Abverkauf gefunden hatte. Mit glatt rasiertem Gesicht und einem halben Liter verschiedenster Parfümproben von *Müller* auf seinem Körper spazierte er wie ein englischer Sir durch die Straßen Požegas, von einem Kaffeehaus zum nächsten. Dort traf er seine alten Schulfreunde auf Kaffee und *rakija*, unter anderem auch Dragan. Dass ihm mein Vater vor über dreißig Jahren mit einem Ziegelstein eine Platzwunde am Kopf verpasst hatte, war offenbar vergeben und vergessen. Gemeinsam saßen sie alle mit überkreuzten Beinen auf Plastikstühlen in improvisierten Gastgärten an der Straße, lachten, rauchten (bis auf meinen Vater, der Sorge um seine Zahnfarbe hatte), erinnerten sich an alte Zeiten und stritten darüber, wo das Leben schlechter war.

Manchmal liefen mein Vater und ich uns auf unseren jeweiligen Strawanzzügen durch Požega auf dem *Trg Slobode* auch über den Weg; jedes Mal, wenn sich unsere Blicke trafen, brauchte ich eine Sekunde länger, um zu erkennen, dass es wirklich er war: Er schien nicht nur größer und sah ein paar Jahre jünger aus, er grüßte mich mit fester Stimme und winkte mich zu sich her, um mich seinen Freunden vorzustellen.

Mein Vater hatte hier einen Spitznamen und teilte gemeinsame Erinnerungen mit anderen Menschen als meiner Mutter und mir. Er war hier jemand. Jeden Sommer musste ich mich erst daran gewöhnen, ihn auch außerhalb unserer Wohnung in Wiener Neustadt zu sehen, daran, dass er nicht nur in meiner Wahrnehmung existierte: Hier war er nicht nur ein schlecht integrierter Vater, der sich zu Hause vor der Welt versteckte, sondern er war Schulkamerad, Freund, Bruder und Sohn.

Während unseres Aufenthalts in Požega schlief er auf Baba Desankas Ausziehsofa, weil in Onkel Bobans Haus nicht genug Platz für uns alle war. Baba Desanka war seine Mutter, sie lebte in einer kleinen Garçonnière, nur ein paar Straßen von Onkel Bobans Haus entfernt. Als ich klein war, dachte ich immer, Baba Desanka wäre verrückt – rückblickend betrachtet hatte sie vermutlich erste Anzeichen von Demenz, die wohl niemand erkannte. Oder sie verarschte uns alle. Wenn Jovana und ich sie besuchten, öffnete sie die Tür immer mit einem lauten »Joooooooooooo«, das durch das dunkle, feuchte Stiegenhaus ihres Wohnhauses hallte, und klatschte dabei in ihre Hände, bevor sie uns beide jeweils dreimal küsste und ins Haus manövrierte.

Während wir auf den verklebten Holzsesseln an ihrem alten Tisch saßen und an den Zuckerwürfeln nuckelten, die sie uns anbot, kochte Baba Desanka Kaffee, den niemand trinken wollte, und erzählte uns wirre Geschichten aus ihrer Jugend: unter anderem, dass ihr vor vielen Jahren der König von Jugoslawien auf seiner Durchreise durch ihr Dorf den Kopf gestreichelt und prophezeit hätte, sie würde eines Tages eine sehr reiche Frau werden. Oder aber, dass sie eigentlich dem Nachbarn versprochen gewesen wäre, es allerdings nie zu einer Hochzeit gekommen war, weil er kurz davor von den Nazis erschossen wurde. Darüber hätte sie sich im Nachhinein aber ohnehin gefreut, denn sonst hätte sie Đed Želimir nicht kennengelernt: Sie meinte, sie hätte sich im ersten Augenblick in ihn verliebt, als sie ihn am Jahrmarkt in seinem schön geschneiderten Anzug erblickt hatte (Đed Želimir war ja Schneider gewesen). Ein anderes Mal hatte ich Baba Desanka nach einer Schere gefragt, weil ich einen abstehenden Faden von meinem T-Shirt wegschneiden wollte. Als sie mir eine große rostige Eisenschere in die Hand drückte, meinte sie, damit hätte sie eigenhändig die Nabelschnur von Onkel Boban durchgeschnitten, als sie während der Feldarbeit entbunden hatte.

Wenn Jovana und ich ausnahmsweise keine Lust auf Zuckerwürfel hatten, kauften wir auf dem Weg zu Baba Desanka manchmal eine Portion Burek, die wir genüsslich verspeisten, während wir ihren wilden Erzählungen lauschten. Jovana und ich waren uns sicher, Baba Desanka würde nicht mitbekommen, wenn wir hinter ihrem Rücken über sie lachten – obwohl sie offenbar aufmerksam genug war, um uns nach unserem letzten Bissen sofort das Papier zu entreißen, in dem der Burek eingewickelt gewesen war. Die fettigen Verpackungen reinigte sie sorgfältig mit einem Wischtuch, strich sie glatt und faltete sie zusammen. »Ne valja bacati« (»Man soll nichts wegwerfen«), erklärte sie uns, während sie die saubergewischten Blätter im Küchenkasten verstaute. Das letzte Mal, als ich sie vor ihrem Tod sah, nahm sie meine Hand, zog mich zu sich und wünschte mir, dass auch ich fünf Söhne bekam wie sie. Noch bevor ich sie unterbrechen konnte, hatte sie schon ein Stoßgebet zum Himmel gesprochen und sich mit ihren knöchrigen Fingern dreimal bekreuzigt.

Wenn Baba Desanka eine ihrer abstrusen Geschichten in Anwesenheit meines Vaters erzählte, unterbrach er sie öfters mitten im Satz mit einem »Ma šta lupaš, kevo?[29]« (»Was laberst du, Mutter?«). Trotz seiner forschen Art kümmerte er sich jedoch stets liebevoll um Baba Desanka, er putzte ihre Wohnung, zahlte ihre Miete im Voraus, ging für sie einkaufen, beglich ihre Rechnungen, kochte ihr Suppe und schnitt ihr die Haare. Jedes Jahr war ich erstaunt, wenn ich sah, wie mein Vater diese Dinge selbst in die Hand nahm und Behördenwege machte. All das erledigte er natürlich nicht kommentarlos: Während er mit einem Zahnstocher die Essensreste von ihrem Telefonhörer entfernte oder den kaputten Boiler

29 »Keva« ist ein umgangssprachlicher Ausdruck für »Alte« oder »Mutter«.

im Badezimmer reparierte, schimpfte er darüber, wie Baba Desanka die Wohnung verwahrlosen ließ und dass seine Brüder faule Schweine wären, die ihrer Mutter nicht einmal Holz für den Winter besorgen könnten, obwohl sie alle in Serbien wohnten.[30] Dafür war mein Vater der Einzige von ihnen, der nicht zu ihrer Beerdigung kam. Als ich ihn nach dem Grund fragte, meinte er nur: »Ne volim ja sahrane.« (»Ich mag Beerdigungen nicht.«)

Die Brüder meines Vaters waren die Einzigen, die mich von Zeit zu Zeit daran erinnerten, dass das Paralleluniversum, in dem ich drei Wochen im Jahr lebte, nicht echt war. Onkel Dejan und Onkel Miroslav lebten beide nicht in Požega, kamen dafür aber mindestens einmal pro Sommer zu Besuch, wenn wir gerade da waren. Für diesen Tag besorgten wir meistens ein ganzes Schwein, das Onkel Boban in seinem Vorgarten auf dem Grill (d. h. einer längsseitig durchgeschnittenen Öltonne) vor sich hin brutzeln ließ. Währenddessen saßen wir am Gartentisch zusammen und versuchten, über die Turbofolkmusik vom Nachbargrundstück hinweg eine Unterhaltung zu führen. Egal, worum sich das Gespräch gerade drehte – meistens endete es in einem riesigen Streit zwischen den drei Brüdern – mein Vater fand einfach immer einen Anknüpfungspunkt dafür, um mitten im Satz meine Schulzeug-

30 Bis auf Onkel Ivan, der lebte angeblich in Paris, aber über ihn sprach nie jemand. Als Ivan achtzehn Jahre alt war, hatte er sich nämlich unbeobachtet in den Fahrersitz eines städtischen Linienbusses gesetzt, war damit die gesamte Busstrecke abgefahren und hatte bei den einzelnen Stationen Passagiere aufgeklaubt. Auf die gelegentliche Frage, wie viel ein Ticket kostet, hatte er mit »Šta se praviš lud, svaki dan te vidim« (»Stell dich nicht blöd, ich sehe dich jeden Tag in dem Bus!«) geantwortet – in Wirklichkeit hatte er keine Ahnung. Am Ende des Tages hatte er zwar den Bus zurückgegeben, als ob nichts gewesen wäre (der Polizei hatte er gesagt, er hätte das Fahrzeug nur ausleihen wollen), dafür war er aber aus der Familie verstoßen worden.

nisse herumzureichen, und ihnen zu erklären, wie klug ich war. Jedes Jahr machten meine Zeugnisse einen festen Bestandteil unseres mitgebrachten Gepäcks aus, und jedes Jahr lachten alle aufs Neue, wenn sie sahen, wie viele Einser ihre vermeintlich kluge Verwandte aus Österreich hatte. »Pa tvoje dete je budala!« (»Dein Kind ist ja ein Trottel!«), rief Onkel Boban nicht nur einmal (was je nach seiner Tonlage einen neuerlichen Streit entfachte). In Serbien ist das Schulnotensystem nämlich genau umgekehrt: Dort ist ein Einser ein Fünfer und ein Fünfer ein Einser.

Von den Brüdern meines Vaters mochte ich Onkel Dejan am liebsten. Er trug immer dasselbe helle Sakko und eine kleine Sonnenbrille auf seiner dicken Nase, die aussah wie ein aufgequollener Tannenzapfen. Von sich selbst behauptete Onkel Dejan immer, er wäre Schauspieler – in Wirklichkeit wusste aber niemand so recht, was und wo er arbeitete. Vermutlich mochte ich Onkel Dejan deshalb am meisten, weil er mir bei jedem seiner Besuche Geschenke mitbrachte: einzelne verfärbte Silberohrringe, große Münzen mit unverständlichen Prägungen oder Ringe, die so riesig waren, dass meine Kinderhand fast vollständig durch sie passte. Zu jedem kuriosen Geschenk gab es eine noch kuriosere Geschichte, die mir Onkel Dejan mit ruhiger Stimme und vollster Überzeugung erzählte: Der angebrochene Smaragdanhänger sei aus den Überresten der Titanic geborgen worden und habe einst einer alten reichen Dame gehört, bei dem großen Goldring handle es sich um den einstigen Verlobungsring einer sehr dicken englischen Prinzessin, die Goldmünzen stammten noch aus dem alten Ägypten, Kleopatra selbst habe sie prägen lassen. Seine Beschreibungen unterbrachen mein Vater oder Onkel Boban gelegentlich durch einen Schlag auf seinen kahlen Hinterkopf: »Majke ti, Dejane, šta si to opet našao na ulici? Prestani s tim pričama i pusti to dete na miru.« (»Bei dem Leben unserer Mutter, Dejan, was hast du jetzt schon wieder auf der Straße gefunden? Hör' auf mit diesen Geschichten und lass' das Kind in Ruhe.«)

Onkel Dejans Vorliebe für Straßenschätze veranlasste ihn wohl auch dazu, eines Tages unerwartet mit einem dreibeinigen Straßenhund vor Onkel Bobans Gartentor aufzutauchen. Bis auf Onkel Dejan fürchtete sich jeder vor dem kleinen schwarz-weiß gefleckten Rüden, den er Lunja (Strolch) getauft hatte: Wenn man dem Streuner auch nur einen Moment zu lange in die Augen sah, fing er an zu knurren, gerne schnappte er auch nach einem Stück Schweinefleisch oder der einen oder anderen verletzlichen Wade.

Da ich Onkel Dejan so gernhatte, war ich auch umso enttäuschter, wenn er mich während seiner Besuche zur Seite nahm und mit strengem Blick fragte, was denn mein Vater eigentlich genau in Österreich machte. Für diese Frage war ich zwar gewappnet: Mein Vater und ich hatten bereits im Vorhinein vereinbart, was ich antworten sollte: »Tata radi u nekoj firmi u Beču. Pitaj njega.« (»Mein Vater arbeitet in einer Firma in Wien. Frag ihn am besten selbst.«) Wenn ich peinlich berührt meine einstudierte Antwort aufsagte, ließ Onkel Dejan sogar manchmal von mir ab. Doch es war vor allem Onkel Boban, der sich mit dieser Antwort selten zufriedengab. »A kako se zove ta firma?« (»Und wie heißt diese Firma?«), hakte er nach, und wenn ich keine Antwort darauf hatte, lächelte er sanft und streichelte meinen Kopf.

Als Jugendliche war ich vollends überzeugt, dass ich es eines Tages zu den Olympischen Spielen schaffen würde. Mit fünfzehn hatte ich sogar kurz überlegt, mir die fünf olympischen Ringe auf meinen Fußknöchel zu tätowieren (Gott sei Dank habe ich das nicht getan). Mirna Jukić[31] gehörte aber bereits damals zu meinen größten Vorbildern; ich hatte eine signierte Autogrammkarte, die ich einrahmte und an die Wand meines Kinderzimmers hängte, gleich neben die bunten Medaillen, die ich bisher bei Wettkämpfen gewonnen hatte. Mein großes Ziel waren die Olympischen Spiele in Peking 2008: Ich konnte mir keinen größeren Moment als den Einzug ins Olympiastadion vorstellen, welch eine Ehre das sein musste, unter dem Applaus zigtausender Menschen der Welt zeigen zu dürfen, worauf man jahrelang hingearbeitet hatte. Ich malte mir aus, wie Baba Hajdana in Montenegro ihren alten Röhrenfernseher einschaltete und ihr Enkelkind für Österreich schwimmen sah, und fragte mich, welche Hymne ich bei der Siegerehrung wohl singen würde. Da die österreichische die Einzige war, die ich kannte, fand ich jedoch recht schnell eine Antwort auf diese Frage.

Ich verpasste kein Training mehr. Selbst wenn ich krank war, bestand ich darauf, dass mich mein Vater ins Hallenbad brachte – die einzige Autorität, die ich in dieser Hinsicht notgedrungen respektierte, war meine Trainerin. Wenn ich meine vom Schnäuzen rote Nase nicht mit Concealer überschminken konnte und sie entschieden hatte, dass ich so bestimmt nicht ins Wasser durfte, konnte ich protestieren, so viel ich wollte – am Ende blieb mir nichts anderes übrig, als mich am Heimweg über sie aufzuregen.

31 Markus Rogan fand ich aus irgendeinem Grund schon immer unsympathisch.

Für zu Hause kaufte ich mir kleine rote Hanteln, mit denen ich jeden zweiten Tag in meinem Kinderzimmer eine Stunde Krafttraining improvisierte. Anfangs lachte mich mein Vater aus: Die Hanteln seien viel zu klein und bestenfalls für den Seniorensportverein geeignet. Doch nur wenige Wochen später ertappte ich ihn dabei, wie er im Wohnzimmer selbst mit ihnen trainierte. Ich lernte alles über Nährstoffe, was unser Computer hergab, achtete auf jede Mahlzeit, die ich zu mir nahm, aß am Tag drei Eier, trank mindestens 2,5 Liter Wasser und ging immer vor 22 Uhr schlafen. Meine Zeiten verbesserten sich, und ich gewann mehr und mehr Medaillen, immer öfter sogar goldene. Ich hatte die letzten Monate damit verbracht, mit meiner Trainerin intensiv an meiner Schwimmtechnik zu arbeiten, stundenlang Videos von Wettkampfmitschnitten berühmter Olympiaschwimmer analysiert, und endlich schien sich die ganze harte Arbeit bezahlt zu machen.

An den Wochenenden fuhr mein Team zu Wettkämpfen in stickigen Hallenbädern. Diese Wettbewerbe fanden in allen Ecken Österreichs statt, sodass ich bald jedes Kaff an seinem Hallenbad identifizieren konnte und jeden Autobahnabschnitt an seiner Raststätte. Für die Anreise bildeten wir Fahrtgemeinschaften – dafür opferten sich zwei bis drei Elternteile aus unserem Team, die größere Autos besaßen, in denen möglichst viele Kinder Platz hatten. Ich fuhr für gewöhnlich im dunkelgrünen *Volkswagen Sharan* meiner Schwimmkollegin Carina mit; sie hatte meiner Meinung nach den besten Musikgeschmack (sie mochte Metallica und Linkin Park), was die langen Fahrten um einiges erleichterte.

Wenn meine Mutter an dem jeweiligen Wochenende gerade keinen Nachtdienst in der Apotheke hatte, begleitete sie mich zu den Wettkämpfen. Dort verbrachte sie dann allerdings den Großteil ihrer Zeit schlafend – entweder auf den Liegestühlen in der schwülen Schwimmhalle, oder aber sie suchte sich einen Rückzugsort in den

Umkleidekabinen, aus dem sie nur herauskroch, um mich mit dem ganzen Enthusiasmus bei meinen Bewerben anzufeuern, den sie hinter ihren verschlafenen Augen aufbringen konnte.

Jeden Herbst zu Beginn der neuen Schwimmsaison fand im Wiener Neustädter Hallenbad ein Wettkampf statt. Er war nicht besonders groß oder kompetitiv, sondern markierte eher einen Auftakt für das kommende Jahr. Das änderte natürlich nichts daran, dass ich ihn sehr ernst nahm, immerhin wollte ich keine Gelegenheit verpassen, an meinen Bestzeiten zu arbeiten.

Den emotionalen und (meist ungewollt) komödiantischen Höhepunkt dieses Wettbewerbs bildete jedes Jahr das sogenannte traditionelle »Eltern-Kind-Schwimmen«: In diesem Bewerb konnten Vereinsmitglieder mit einem ihrer Elternteile eine Staffel formen und gegen andere Eltern-Kind-Paare um die Wette schwimmen. Es gab Pokale zu gewinnen und ganz traditionell eine Flasche Wein für die Väter und einen Strauß Blumen für die Mütter. Die meisten meiner Schwimmkollegen kamen Jahr für Jahr mit ihren Vätern angereist. Sie gaben einander aus dem Wasser heraus High Fives, die Väter tauschten miteinander Handschläge aus und witzelten herum. Jedes Jahr fühlte ich mich wie in einem Weihnachtsfilm mit Richard Gere und Julia Roberts, wenn ich meine Freunde so sah. Ich beobachtete sie vom Beckenrand aus, wo ich wie ein kleiner böser Zwerg an der Fliesenwand lehnte, meine pickelübersäte Stirn runzelte und meine viel zu dünn gezupften Augenbrauen in Missgunst zusammenzog. Wie der Grinch wünschte auch ich mir insgeheim natürlich, Teil dieses Geschehens zu sein.

Anders als meine Schwimmkollegen hatte ich beim Eltern-Kind-Schwimmen nämlich noch nie teilgenommen: Meine Mutter konnte sich zwar über Wasser halten, war aber darüber hinaus keine herausragende Schwimmerin. Mein Vater hingegen wäre (zumindest was seine körperliche Fitness betraf) wohl einer der geeignetsten Kandidaten gewesen: Zusätzlich zu seinem Krafttraining mit meinen kleinen roten Hanteln ging er nämlich jede Woche laufen, schwimmen und radfahren, manchmal sogar alles an ein und demselben Tag. Im Gegensatz zu ihm wirkte der Großteil der anderen Väter wie Bürohengste, deren beginnende Bierbäuche verrieten, dass ihre sportlichen Ambitionen aus nicht viel mehr als einem gelegentlichen Sonntagslauf im Föhrenwald bestanden. Allerdings waren sie meinem Vater in einem entscheidenden Punkt voraus: Sie sprachen Deutsch.

Seine gebrochenen Sprachkenntnisse waren der Grund, weshalb mein Vater all die Jahre auf meine Überredungsversuche, endlich einmal beim Eltern-Kind-Schwimmen mitzumachen oder doch wenigstens bei einem Wettkampf zuzusehen, immer mit derselben Antwort reagiert hatte: Was mache er dort, er würde mich doch nur vor meinen Freunden und meiner Trainerin blamieren, er habe in meiner Welt nichts verloren, alle würden mit dem Finger auf ihn zeigen und ihn auslachen, dass er so schlecht Deutsch spricht. Da diese zähe Diskussion seit Jahren auf dasselbe Ergebnis hinauslief, hatte ich schon beinahe aufgegeben, doch weil es bereits irgendwie Tradition war, versuchte ich es doch jeden Herbst wieder. Und siehe da: Eines Jahres dürfte ich wohl einen günstigen Moment erwischt oder einen Nerv getroffen haben, denn wider aller Erwartungen sagte mein Vater plötzlich: »Hajde.«

Bereits am nächsten Tag meldete ich uns für den bevorstehenden Wettkampf an. Sorgfältig trug ich uns in die Liste auf das Blatt Papier ein, das meine Trainerin aus ihrem Rucksack herausholte, als ich stolz ankündigte, dass auch ich dieses Jahr mitschwimmen würde. Sogar sie machte große Augen, als sie den Namen meines Vaters las. »Jetzt lernen wir ihn endlich einmal kennen!«, lachte sie. Ich konnte es nicht erwarten, ihn meinem Schwimmverein vorzustellen. Bisher kannten meinen Vater alle nur als flüchtiges

Gesicht hinter einer Windschutzscheibe, das mich nach dem Training vom Hallenbad abholte. Sie hatten bereits unzählige Male nach ihm gefragt, wer er sei, was er mache, warum sie ihn noch nie gesehen hatten. Umgekehrt kannte ich nämlich nicht nur alle Elternteile, Geschwister und Haustiere meiner Schwimmkollegen, sondern zum Teil sogar ihre Großeltern.

Unsichtbar

Endlich war es so weit, und der große Tag stand an. Das mir so vertraute Hallenbad, in dem ich jeden Tag trainierte, erstrahlte an diesem Sonntag in ganz neuen Farben: An den Wänden hingen Stoffbanner mit unserem Vereinsnamen, kleine rote Fähnchen mit dem *Speedo*-Logo waren an einer Leine über die Wasseroberfläche gespannt und an den stirnseitigen Beckenrändern große gelbe Anschlagplatten zur elektronischen Zeiterfassung montiert worden.

Für den Vor- und Nachmittag waren die Einzelbewerbe vorgesehen, das Eltern-Kind-Schwimmen sollte den feierlichen Abschluss des Wettkampftages bilden. Ich schwamm meine Bewerbe mit neuen Bestzeiten und gewann sogar zwei Gold- sowie eine Silbermedaille. Meine Mutter hatte alles mit unserer neuen Digitalkamera festgehalten; sie war bereits den ganzen Tag mit mir im Hallenbad gewesen und ging kurz nach draußen, um meinen Vater in Empfang zu nehmen.

Als ich ihn umgezogen in der Schwimmhalle begrüßte, fiel mir auf, dass seine Hände ganz schwitzig waren. Er winkte meiner Trainerin nur kurz zur Begrüßung zu, die anderen ignorierte er. Auch mit mir tauschte er bis auf ein kurzes »Ćao« kaum Worte aus, sondern schien sich stattdessen voll und ganz seinen Aufwärmübungen zu widmen. Als ich ihn fragte, ob alles in Ordnung sei und er schwimmen könne, flüsterte er mir zu: »Ma ne brini ti o meni, sinčić, skoncentriši se na trku, pobedićemo mi to!« (»Mach dir keine Sorgen um mich, Söhnchen, konzentrier dich lieber auf das Rennen, wir gewinnen das!«) Das reichte mir als Versicherung. Wir hatten den Sieg in der Tasche.

Der Bewerb wurde aufgerufen, unsere Namen und die Bahn durch den Lautsprecher angesagt. Mein Vater und ich waren auf Bahn drei, links von uns war meine Freundin Carina mit ihrer Mutter und rechts ein anderes Vereinsmitglied mit seinem Vater. Während wir mit aufgesetzten Schwimmbrillen und konzentriertem Gesichtsausdruck unsere Muskeln für das bevorstehende Rennen lockerten, scherzten sie über unsere Köpfe hinweg.

Sie verstummten erst, als ein Schiedsrichter mit grauem Schnauzer nach vorne trat und mit all seiner Lungenkapazität in die kleine Trillerpfeife blies: Vier kurze Pfiffe, gefolgt von einem langen. Ich stellte mich auf den Startblock, klammerte meine Finger um die raue Kante und wartete von Kopf bis Fuß angespannt auf das Startzeichen. »Aaauf die Plätze« – Pause – ein kurzer elektronischer Signalton, und schon war ich im Wasser. Ich schwamm so schnell ich nach dem langen Wettkampftag konnte: erste Länge, Rollwende, zweite Länge, Rollwende, dritte Länge, Rollwende, vierte Länge, Anschlag. Ich sah meinen Vater noch Kopf voraus über mich ins Wasser springen, bevor ich meine Brille abnahm und zum ersten Mal nach links und rechts blicken konnte. Wir waren ganz klar in Führung.

Ich kletterte aus dem Becken und riss meine Badehaube vom Kopf herunter. Mein Vater hatte einen guten Start hingelegt: Als er bei seiner ersten Wende angelangt war, waren ein paar andere Elternteile gerade mal ins Wasser gesprungen. Doch als er sich von der Wand abgestoßen und die zweite Länge erreicht hatte, verlangsamte sich auf einmal sein Tempo drastisch. Vom Beckenrand aus wirkte es fast so, als ob er gleich stehen bleiben würde. Er schwamm auch gar nicht mehr in einer geraden Linie, sondern streifte sogar mehrmals die Badeleine.

Wie der Hase in der Geschichte, die mir mein Vater früher immer erzählt hatte, verloren auch wir unseren anfänglichen Vorsprung. Auf der dritten Länge wurde ich allmählich nervös und fing an, ihn anzufeuern. Auf seinen letzten paar Metern schrie ich mir die Seele aus dem Leib, obwohl bereits klar war, dass wir nicht mehr aufholen würden. Die anderen hatten ihn überholt. Wir wurden nur Vierte.

Schon als ich meinen Vater aus dem Becken herausklettern und mit schweren Beinen auf mich zukommen sah, spürte ich den Zorn in mir brodeln. Doch als er dann noch »Ušla mi je voda u naočare« (»Mir ist Wasser in die Brille gekommen«) keuchte, verlor ich völlig die Fassung. Mit wütenden Schritten und Badeschlapfen, auf die meine Mutter mit Edding in großen Blockbuchstaben meinen Namen geschrieben hatte, stürmte ich in den leeren Umkleidebereich. Ich setzte mich auf eine der Holzbänke und starrte auf den braunen Fliesenboden. Meine Schwimmbrille und Badehaube hielt ich mit geballten Fäusten fest umschlossen.

Offenbar war mein Vater mir nachgegangen, denn auf einmal waren seine großen Hammerzehen in meinem Blickfeld. Er setzte sich vorsichtig neben mich auf die Holzbank. »Oprosti, sine. Ništa nisam više video kroz naočare« (»Tut mir leid, mein Sohn. Ich hab' gar nichts mehr durch die Schwimmbrille gesehen«), fing er an. Er zog seine Mundwinkel leicht nach oben und klopfte mir auf den Rücken: »Hajde da se ne svađamo. Bilo pa prošlo.« (Komm, lass uns nicht streiten. Schwamm drüber, wir können jetzt nichts an der Situation ändern.«)

Das brachte das Fass zum Überlaufen. Ich konnte meine Wut nicht mehr zurückhalten. »Znaš li ti koliko puta je *meni* ušla voda u naočare i svakako sam otplivala?« (»Weißt du, wie oft *ich* beim Schwimmen Wasser in die Brille bekommen habe und trotzdem geschwommen bin?«), brach es aus mir heraus. Ich spürte die Tränen aufsteigen. »Niti jedan jedini dan nisi uspeo da budeš pravi otac za mene« (»Nicht einmal einen einzigen Tag hast du es geschafft, ein echter Vater für mich zu sein«), warf ich ihm vor. »Ničemu ne služiš« (»Du bist zu nichts zu gebrauchen«), schoss ich mit bebender Stimme nach. »Zašto se ne vratiš konačno u Hrvatsku? Sramotim se za tebe.« (»Warum gehst du nicht endlich nach Kroatien zurück? Ich schäme mich für dich.«) Ich konnte die Verachtung in meiner eigenen Stimme hören.

Ich hatte mittlerweile so dicke Tränen in den Augen, dass ich den erstarrten Gesichtsausdruck meines Vaters nur noch ganz verschwommen wahrnehmen konnte. Im Nachhinein glaube ich, eine Mischung aus Angst und Trauer in seinen Augen erkannt zu haben. Er sagte nichts mehr.

Teil 3

IN ORDNUNG BRINGEN

Nismo se ni svađali
(Wir haben doch gar nicht gestritten)

Irgendwann war es zu spät zum Reden. Irgendwann wusste ich gar nicht mehr, was mir leidtat. Irgendwann hatte ich vergessen, wofür ich um Vergebung bitten musste und was ich vergeben wollte. Irgendwann hatte sich die Reue in Scham verwandelt, und die Scham war zu Schweigen geworden, das ich mit Wut beantwortete, sobald es durchbrochen wurde.

Es war nicht so, als hätten wir seit dem Vorfall im Hallenbad nicht mehr miteinander gesprochen; ich hatte meinem Vater sogar gesagt, dass mir meine Reaktion leidtat. »Ma nismo se ni svađali« (»Wir haben doch gar nicht gestritten«), hatte er geantwortet und seine Portion Spaghetti Bolognese aufgegessen, die locker für drei gereicht hätte. Für jeden Außenstehenden sah es aus, als gäbe es kein böses Blut zwischen uns – das tat es vermutlich auch gar nicht. Und doch hatte dieser Streit etwas ganz Grundlegendes verändert.

Seit ich ins Gymnasium gekommen war, hatten mein Vater und ich viel gestritten: Meistens reichte eine Kleinigkeit aus, um eine leidenschaftliche Grundsatzdiskussion samt wüsten Beschimpfungen zwischen uns zu entfachen. Obwohl ich fast alles, was ich über die Welt wusste, von ihm gelernt hatte, schienen wir diese Welt doch ganz unterschiedlich zu sehen. Obwohl wir unter demselben Dach lebten, hätten unsere Fundamente nicht verschiedener sein können. Was ich für richtig hielt, fand er falsch. Was er als Wahrheit betrachtete, entlarvte ich als Lüge. Die einzigen Anteile meines Vaters, die ich in mir selbst erkennen konnte, sah ich in meinem Spiegelbild. Dass ich aussah wie seine Kopie, blieb wohl auch das Einzige, was uns für immer miteinander verbinden würde.

Je mehr ich mich in dieser Welt verwurzelte, desto mehr entwurzelte er sich aus allen anderen. Er hatte mich als Kleinkind nach Österreich gebracht und verstand nun nicht, warum ich so dachte wie die Menschen in diesem Land. Er hatte mir gesagt, ich solle dieses Land als meine Heimat betrachten und nicht zurückblicken, schien nun aber befremdet, dass ich seinem Ratschlag folgte.

»Ma još si ti mlada« (»Du bist noch zu jung«), »Videćeš kad odrasteš« (»Du wirst es verstehen, wenn du älter wirst«), lauteten nur einige der Antworten, die er jedes Mal parat hatte, wenn ich eine andere Meinung äußerte als er. Tatsächlich sollte er mit dieser Feststellung zum Teil recht behalten, denn: Je älter ich wurde, desto mehr Verständnis entwickelte ich für meinen Vater, desto mehr Ähnlichkeiten erkannte ich in unseren Werten, desto mehr seiner Ansichten vertrat ich tatsächlich selbst – auch wenn ich womöglich andere Worte für sie wählte. Und trotz all dieser verlorenen und wiedergefundenen Gemeinsamkeiten hätte ich mir damals nichts mehr gewünscht, als dass er wenigstens für den Bruchteil einer Sekunde die Rolle des Erwachsenen übernommen und in mir mehr als nur ein Kind gesehen hätte.

Obwohl uns also bereits seit längerem heftige Streitereien trennten, hatte der Vorfall im Hallenbad dennoch etwas Grundlegendes verändert: Unsere Auseinandersetzungen waren erbarmungsloser und unnachgiebiger geworden. Mein Vater und ich haben beide riesengroße Schädel, was sich nun nicht mehr nur beim Anprobieren von Kappen bemerkbar machte, sondern auch bei unseren Zusammenstößen. Wir überboten einander in den Gemeinheiten, die wir dem anderen vor die Füße warfen. Wenn er eins draufsetzte, musste ich noch nachlegen. Es war unmöglich geworden, dem anderen in irgendeiner Hinsicht recht zu geben, selbst wenn man ausnahmsweise einer Meinung war. Ich erschrak über meine eigene Wut und Kälte.

Auch kurz nach dem Tod seiner Mutter gerieten wir in einen Streit. Ich weiß nicht mehr, worum es ging, aber ich kann mich erinnern, ihm in einem Moment »Jebem ti mater« (»Ich ficke deine Mutter«) ins Gesicht geschrien zu haben. Meine verbale Ohrfeige beantwortete er mit einer tatsächlichen. Nicht, dass dieses Vorkommnis irgendetwas an unserem Umgang miteinander geändert hätte, im Gegenteil: Nach ein paar Tagen Waffenruhe nahmen wir die Streitereien in gewohntem Ton wieder auf. Dass ich meinen Vater noch bis vor ein paar Jahren als meinen besten Freund bezeichnet hatte, blieb nichts als eine dunkle Erinnerung.

Bluthochdruck

Meine Mutter hatte in der Zwischenzeit alle Nostrifikationsprüfungen erfolgreich bestanden. Sie war nun offiziell doppelt studierte Pharmazeutin.

An dem Tag, an dem sie ihre letzte Prüfung an der Universität hinter sich gebracht hatte, schmiss ihr Susanna ein großes Fest in ihrem Haus. Susanna arbeitete als Dolmetscherin und hatte meiner Mutter bei der Übersetzung verschiedenster Urkunden geholfen, woraus im Laufe der Jahre eine enge Freundschaft entstanden war. Alle Freunde, Nachbarn und Bekannten, die Susanna oder wir kannten, wurden an diesem Tag eingeladen, um die Nostrifikation meiner Mutter zu feiern. Von Bohnensuppe und Sarma über Wiener Schnitzel bis zu Baklava gab es so viel zu essen, dass für den Nachhauseweg alle mit einer kleinen Aluminiumschale voller Köstlichkeiten versorgt wurden. Es war, als wären wir bei einem Kennenlernfest des örtlichen Integrationsvereins gelandet.

Ich war stolz auf meine Mutter, und für einen kurzen Moment, glaube ich, war sie es auch. Mit erhobenem Glas hielt sie sogar eine kurze Rede von ihrem Sitzplatz am Tischende aus, die mein Vater in gewohnter Manier mit unzähligen Fotos aus verschiedensten Winkeln dokumentierte.

Nur wenige Monate später bekam sie einen gut bezahlten Job in einem großen Pharmaunternehmen in Wien. Sie war zwar nicht in der Leukämieforschung gelandet, arbeitete nun aber an neuen Behandlungsmöglichkeiten für Bluthochdruckpatienten.

Mit dem neuen Job bezogen wir eine neue Wohnung: Obwohl sie nur eine Gasse weiter entfernt lag als unsere alte, war sie nicht nur um Welten schöner, sondern auch fast doppelt so groß. Das deprimierende Kackbraun unseres bisherigen Wohnhauses war durch eine freundliche hellrosa Fassade ersetzt worden, es gab einen Lift und einen großen Innenhof, in dem einige Bewohner sogar Basilikum und Rosmarin angebaut hatten. An diesem kleinen Kräutergarten beteiligten wir uns allerdings nie, vielmehr beäugten ihn sogar misstrauisch. Es blieb uns ein Rätsel, warum die anderen Bewohner offenbar keine Angst hatten, jemand würde sich einen bösen Scherz erlauben und nachts unbeobachtet in den Blumentrog pinkeln.

Mit der neuen Wohnung bekam jeder von uns seinen eigenen Rückzugsort, ganz für sich alleine: Neben einem großen Wohnbereich gab es nämlich nicht nur zwei getrennte Schlafzimmer, sondern auch einen einladenden Vorraum mit einer kleinen Arbeitsecke. Der Eingangsbereich durfte niemals mit Straßenschuhen betreten werden, weshalb auch beim seltenen Anblick von Gästen diese sogleich an der Türschwelle darum gebeten wurden, ihr Schuhwerk auszuziehen und im Stiegenhaus stehen zu lassen. Falls die Bitte zu spät ausgesprochen wurde und der Gast bereits einen beschuhten Fuß auf den Fliesenboden gesetzt hatte, ließ mein Vater diese Tortur zwar über sich ergehen, verbrachte dafür aber mindestens eine halbe Stunde nach der Verabschiedung des Gastes damit, den Boden zu schrubben und mit Chlor und Desinfektionsmittel zu reinigen. Der Vorraum war jedoch auch jenseits der Türschwelle zum Reich meines Vaters geworden, denn auf dem neuen silberfarbenen Arbeitstisch, den wir extra für das Vorzimmer gekauft hatten (meine Eltern meinten, er passe farblich zum schwarz-weißen Boden und den orange gestrichenen Wänden) wurde der PC positioniert. Ich war froh, ihn endlich aus meinem Zimmer zu haben.

Auch in der Schule lief es gut, ich schrieb Einser und ging jeden Nachmittag trainieren. Sogar Frau Professor Pichler war nicht mehr meine Deutschlehrerin – sie war nach Mödling gezogen und unterrichtete dort jetzt andere Kinder. Solange ich also darauf achtete, nicht mit meinem Vater in eine Auseinandersetzung zu geraten, war alles in bester Ordnung. Zum Glück wurde jedoch auch das zunehmend einfacher, denn mit seiner neuen Arbeitsecke im Vorzimmer war er noch ein Stück weiter in seine einsame Onlinewelt versunken. Da der Arbeitstisch direkt an die Tür zu meinem Schlafzimmer anschloss, hörte ich jede Nacht bis mindestens 4 Uhr morgens das leise Quietschen des Bürosessels, wenn er sich während einer dreistündigen Dokumentation über den Afghanistankrieg gelegentlich darauf herumbewegte. Beim Frühstück erzählte mir meine Mutter oft, sie habe ihn noch im Vorzimmer angetroffen, als sie um 5 Uhr morgens aufgestanden war –

mit geröteten Augen vor dem PC sitzend und irgendwelche langen Berichte lesend.

Da er Tag für Tag tiefer in den Bann verschiedenster Informationen aus aller Welt gezogen wurde, hatte sich mein Vater mittlerweile in ein wandelndes Lexikon verwandelt. Er sprach auch über nichts anderes mehr als über die verrückten Dinge, die er in diversen Zeitungsberichten gelesen oder in Videos gesehen hatte. Irgendwie musste er ja seinen stetig ansteigenden Wissensspeicher entleeren, und da er mit niemand anderem sprach als mit meiner Mutter und mir, mussten wir als Publikum für seine Vorträge herhalten. Ungeachtet dessen, ob wir ihm zuhörten oder nicht, teilte er unermüdlich die brisantesten Insiderinformationen zu aktuellen (oder weniger aktuellen) politischen Weltgeschehnissen mit uns und spickte sie mit rhetorischen Fragen: Ob wir bereits gehört hatten, was dieser oder jener Politiker gesagt hat, ob wir schon wussten, dass sich da oder dort gerade ein Krieg zusammenbraute. »Pričaš kao navijen« (»Du redest wie ein Wasserfall«), unterbrach ihn meine Mutter gelegentlich, gab jedoch meistens mit einem kaum wahrnehmbaren Seufzer wieder auf. Manchmal lasen wir in den folgenden Tagen auch im Teletext von seinen Offenbarungen, üblicherweise hörten wir sie allerdings nur aus seinem Mund.

Immer und immer wieder fasste ich mir ein Herz und versuchte, ihm aufmerksam zu folgen, mich ins Gespräch einzubauen und Gegenfragen zu stellen – doch meistens hatte ich nach einem anstrengenden Tag einfach mehr Lust darauf fernzusehen, anstatt mir die neuesten Enthüllungen über bis dato geheime US-Militärtechnologien anzuhören. Außerdem war ich draufgekommen, dass diese Gespräche reichlich Boden für Meinungsverschiedenheiten und Streitigkeiten mit meinem Vater boten – noch ein weiterer willkommener Grund dafür, ihnen ohne schlechtes Gewissen auszuweichen.

Doch selbst, wenn sich das Gespräch ausnahmsweise nicht um Weltpolitik drehte, wurde es jeden Tag schwieriger, eine Unterhaltung mit ihm zu führen: Er war ungeduldiger geworden, wenn ich länger mit ihm sprach, erinnerte er mich in genervtem Ton daran, endlich zum Punkt zu kommen. Außerdem schien er mir genauso wenig zuzuhören wie ich ihm – warum sonst wiederholte dieselben Fragen nur wenige Minuten, nachdem ich ihm eine Antwort darauf gegeben hatte? Sein Blick war leer, immer öfter wirkte er verloren, etliche Male traf ich ihn ohne ein sichtbares Ziel in der Küche oder im Wohnzimmer herumstehend an. Wenn ich ihn vorsichtig fragte, was er gerade tat, wusste er es meistens selbst nicht. Seine Tränensäcke waren mittlerweile so groß, dass es aussah, als wären sie voller Tränen.

Balkanmänner

Das Einzige, was anscheinend trotz allem immer noch irgendeine andere Emotion als Wut in ihm auslösen konnte, waren meine Schulnoten: Jedes Mal, wenn ich zu Semesterende mit meinem Zeugnis nach Hause kam, wurden seine kleinen Augen feucht, und er umarmte mich so fest und klopfte mir so lange auf den Rücken, bis er mir wehtat. Er meinte, mit diesen Noten und Sprachkenntnissen müsse ich später einmal mindestens für die EU arbeiten oder besser noch für die UNO. »E pa lepo sediš i zajebavaš se« (»Dann kannst du einfach schön rumsitzen und Blödsinn treiben«), beschloss er und klatschte dabei auf seine Knie. Allerdings erinnerte er sich dann auch schnell wieder daran, dass Politiker ja nur lügen und stehlen: »Oni samo lažu i kradu«, woran er wiederum eine ausgiebige Ausführung über Politik anknüpfte (die überall auf der Welt gleich ablief): »Ma sve je to dogovoreno. U parlamentu se kobajagi svađaju a posle zajedno idu na ručak. Jebo im pas mater!« (»Die machen sich doch alles untereinander aus. Im Parlament tun sie so, als würden sie streiten, und danach gehen sie gemeinsam Mittagessen. Der Hund soll ihre Mutter ficken!«[1]), redete er sich in Rage. »Zato ti, sine moj, samo gledaj svoja posla i budi skromna« (»Deshalb, mein Sohn, kümmere dich um deine Angelegenheiten und sei bescheiden«), beendete er die Unterhaltung und verabschiedete sich wortlos in die Küche. Da ich gelernt hatte, während seiner Monologe am besten keinen Mucks von mir zu geben, blieb ich meistens einfach weiter schweigend auf dem Sofa sitzen und wechselte je nach Werbepause zwischen ProSieben und ORF I hin und her. Meistens kam mein Vater ohnehin wenige Minuten später wieder zurück: »A možda ipak da pokušaš da se uguraš u neki državni posao?« (»Vielleicht solltest du aber doch versuchen, dich in irgendeiner staatlichen Behörde einzunisten?«), grübelte er gedankenverloren vor sich hin, bevor er ein paar Haare am Boden entdeckte und rasch den Handstaubsauger zu Hilfe holte.

Einmal hatte ich meinen Vater gefragt, warum er sich als Jugendlicher eigentlich dafür entschieden hatte, Schiffbauingenieurswesen zu studieren. Ich wusste ja nicht einmal, was genau er in Kroatien gearbeitet hatte. Außerdem war mir nie ganz in den Kopf gegangen, warum er in Österreich nie eine Arbeitserlaubnis bekommen hatte; ein Teil von mir hatte sich immer gefragt, ob das Studium meines Vaters womöglich sogar erfunden war – was war Schiffbauingenieurswesen denn überhaupt für ein Fach? Auf mei-

1 Auch wenn man es angesichts der deutschen Übersetzung kaum glauben mag: Auf B/K/M/S klingen Schimpfwörter wie dieses bei weitem nicht so harsch und sind auch nicht so bildlich gemeint. Oft werden sie auch einfach als eine Art Lückenfüller eingesetzt.

ne Frage hin erzählte er mir, dass er vor dem Krieg bei einer Werft[2] in Kroatien gearbeitet habe. Als Ingenieur habe seine Hauptaufgabe darin bestanden, alte Schiffe zu reparieren und wieder seetauglich zu machen. »Najlepši osećaj na svetu je bio kada sam nakon završenog posla stao na palubu i gledao u more.« (»Das schönste Gefühl der Welt war, nach getaner Arbeit auf das Schiffsdeck zu gehen und auf das Meer zu blicken.«)

Ich empfand eine Mischung aus Mitleid und Schuld für ihn. Ich wusste zwar, dass mir mein Vater alles auf der Welt geben würde, wenn er könnte. Doch in Wirklichkeit wusste er nicht einmal, wie man einen Bankomaten bedient. Er war der Erste und Einzige in seiner Familie gewesen, der ein Studium begonnen und abgeschlossen hatte – und trotzdem hatte er am wenigsten in seiner Familie erreicht. Statt auf dem Deck eines Schiffs saß er jetzt den ganzen Tag allein in einer Wohnung und wartete darauf, dass seine Ehefrau von der Arbeit nach Hause kam. Wäre er zumindest eine Frau gewesen, aber nein, er war ein Mann. Nicht nur das: Er war ein Mann vom Balkan.

Ich fühlte mich schuldig für das, was ich hatte und er nicht. Lange dachte ich, ich könnte einen Teil dieser Schuld begleichen, indem ich ihn zumindest an meinem Leben teilhaben ließ. Ich erzählte ihm von meinen Lieblingsfächern in der Schule oder dass Adrian und ich gerade an einem Drehbuch für einen Horrorfilm schrieben, den wir im Akademiepark drehen wollten. Für einen Augenblick sah es sogar so aus, als könnten mein Vater und ich wieder eine Konversation führen, die nicht nach fünf Minu-

2 Ich habe dieses Wort zum ersten Mal während meines Schreibprozesses für dieses Buch gehört. Falls es einigen Leser:innen genauso geht wie mir: Bei einer Werft handelt es sich um einen Betrieb zum Bau, zur Wartung sowie zur Reparatur von Booten und Schiffen.

ten in einen Streit ausartete. Doch aus seiner anfänglichen Neugierde wurde bald bittere Erwartungshaltung: Er hatte ganz konkrete Vorstellungen davon, wie ich mein Leben führen und mit wem ich meine Zeit verbringen sollte. Diese Erwartungen verwandelten sich binnen kürzester Zeit in Misstrauen: Sobald ich einen neuen Namen in meinem Freundeskreis erwähnte, zogen sich seine Augenbrauen zusammen, selbst wenn sich im Nachhinein herausstellte, dass es in Wirklichkeit gar kein neuer Name war, sondern er ihn ganz einfach vergessen hatte. Wenn es sich um einen männlichen Namen handelte, unterbrach er mich manchmal mitten im Satz und erklärte mit ernster Stimme: »Nećeš ti meni ni jednog muškaraca dovesti u kuću.« (»Du wirst mir keinen Mann nach Hause bringen.«) Und spätestens, als ich mein erstes Handy bekam, wurde sein Misstrauen zur Kontrolle. »Ko ti to piše?« (»Wer schreibt dir?«), rief er mir jedes Mal quer durch die Wohnung zu, wenn er hörte, dass ich eine SMS bekommen hatte.

Meine Mutter verdächtigte er inzwischen einer Affäre. Willkürlich warf er mit den Namen irgendwelcher Arbeitskollegen aus dem Pharmaunternehmen herum und meinte, sie würde ihn hinter seinem Rücken mit diesen Namen betrügen. Seit sie ihren neuen Job begonnen hatte, besuchte meine Mutter nämlich immer wieder mehrtägige Fortbildungen und Kongresse – dafür fuhr sie nach Salzburg, Graz oder Innsbruck, manchmal sogar nach Deutschland oder in die Schweiz. Vor allem während der 2000er scheuten die Pharmaunternehmen keine Kosten für die Organisation dieser Kongresse (mit der Wirtschaftskrise wurden sie jedoch etwas geiziger): Nicht nur ließen sie exzellente Vortragende aus aller Welt einfliegen, sondern luden die Teilnehmer zu abenteuerlichen Freizeitaktivitäten ein. Bei einigen Kongressen wurden nicht nur die Hotelkosten für meine Mutter, sondern sogar für ein weiteres Familienmitglied übernommen, weshalb viele ihrer

Kollegen ihre Partner mitbrachten. Mein Vater weigerte sich allerdings jedes Mal mitzukommen, wenn ihn meine Mutter fragte, ob er es sich vielleicht anders überlegen wollte: Was mache er dort, er würde sie doch nur vor ihren Kollegen blamieren, er habe in ihrer Welt nichts verloren, alle würden mit dem Finger auf ihn zeigen und ihn auslachen, weil er so schlecht Deutsch spricht. Statt meines Vaters begleitete deshalb ich meine Mutter immer wieder zu ihren Kongressen. Während sie irgendwelchen Vorträgen über Blutdruckmittel oder Ernährungsverhalten lauschte, verbrachte ich auf Pharmakosten den Tag im Wellnessbereich des Hotels, bis sie zurückkam und wir zum gesponserten Candlelight-Dinner in einem exklusiven Restaurant gehen konnten, um gemeinsam Steak und Trüffelpommes zu essen.

Ich hatte meine Eltern noch nie so viel miteinander streiten gesehen wie in dieser Zeit. Zum ersten Mal zog ich ernsthaft in Erwägung, dass sie sich scheiden lassen könnten. Das war die eine Sache gewesen, der ich mir all die Jahre sicher hatte sein können – dass wir immer einander haben würden, komme, was wolle. Mein Vater hatte zwar immer schon wilde Behauptungen aufgestellt, er würde nach Kroatien oder Serbien zurückgehen und eine neue Familie gründen, doch tief drin war ich mir sicher gewesen, dass er es nicht so meinte. Nun fragte ich mich jedoch, ob er seine Drohungen nicht womöglich doch in die Tat umsetzen könnte.

Eines Abends stritten sie besonders heftig. Mein Vater aß gerade zu Abend, während meine Mutter ihre Dokumentenmappe neben ihm schlichtete. Ich weiß nicht mehr, wie genau es dazu gekommen war, aber auf einmal wurden sie laut, und mein Vater warf mit den üblichen Beschuldigungen um sich: Meine Mutter würde den ganzen Tag nur arbeiten und am Wochenende auf Kongressen flirten. Denselben Streit hatten sie bereits am Vorabend, ich war genervt und wollte einfach nur in Ruhe fernsehen. Irgendwann platzte mir der Kragen. »Tata, ako se toliko buniš, zašto uzimaš mamine pare?« (»Wenn du dich so aufregst, Papa, warum nimmst du dann so gerne Mamas Geld?«), mischte ich mich vom Sofa aus in Richtung Esstisch ein. »To su naše zajedničke pare!« (»Das Geld gehört uns allen!«), zischte meine Mutter mit funkelnden Augen, noch bevor mein Vater seinen Mund auch nur aufmachen konnte.

Ich war müde. Mein Vater war zu einem Klotz an meinem Bein geworden. All die Jahre, in denen er meine Hand gehalten und mir die Welt gezeigt hatte, schienen eine Ewigkeit entfernt zu sein. Schon längst führte nicht mehr er mich durch die Welt, sondern ich ihn. Doch je mehr sich mein Leben auch außerhalb unserer vier Wände entfaltete, desto weiter weg schienen nicht nur diese Jahre, sondern auch seine Hand, die mir langsam, aber sicher entglitt.

Zwei Jahre

Meine Mutter hatte zwar einen neuen Job bekommen, dafür aber auch einen behördlichen Brief, in dem es hieß, ihre Arbeitserlaubnis könne nicht mehr weiter verlängert werden.

Als sie im Rathaus nachfragte, was das zu bedeuten habe, teilte ihr die zuständige Sachbearbeiterin mit, wir müssten nun entweder die österreichische Staatsbürgerschaft beantragen, oder meine Mutter könne nicht mehr als Pharmazeutin arbeiten. »Dann möchte ich jetzt die Staatsbürgerschaft beantragen. Welche Formulare brauche ich?«, schien meiner Mutter die einzig logische Schlussfolgerung auf die Feststellung der Sachbearbeiterin, die sich als Frau Dudaschek vorgestellt hatte: Sie hatte hinten kurze und vorne etwas längere, kupferrot gefärbte Haare (in Wiener

Neustadt bezeichnete man das als einen frechen Haarschnitt) und graue Augen, die hinter einer dicken Schicht verklebter Mascara durchlugten. Sie blickte von ihren Unterlagen auf und zog ihre Mundwinkel sanft nach oben: »Dafür sind Sie noch nicht lange genug in Österreich. Wir sehen uns in zwei Jahren wieder. Auf Wiedersehen.« Damit deutete sie meiner Mutter, das Zimmer zu verlassen, und rief die nächste Person in der Warteschlange auf.

Als die Tür vor ihrer Nase zufiel, brauchte sie einen Moment, um zu begreifen, was gerade passiert war. Wenn Frau Dudaschek recht haben sollte, musste sie dann ihren Job in dem Pharmaunternehmen aufgeben? Wie sollten wir die Miete für die Wohnung bezahlen?

Nun muss man vorab sagen, dass meine Mutter ein Mensch ist, der nie laut wird: Sie legt großen Wert auf einen respektvollen Umgang, mag es nicht, wenn sich Menschen vordrängen und findet es abstoßend, wenn Baba Hajdana oder mein Vater vulgär werden. »A šta, ti si kao neka fina dama, je li?« (»Aha, und du bist also eine feine Dame, oder wie?«), äffte mein Vater sie gerne nach, wenn sie wieder einmal ihre Augen verdrehte, nachdem er einen Politiker im Fernsehen wüst beschimpft hatte. Obwohl sie also weder flucht noch laut wird, bleibt sie im Herzen dennoch eine wahre Montenegrinerin: unnachgiebig und stur. Wenn sie sich etwas in den Kopf gesetzt hat, dann setzt sie das mit stiller Gewalt durch. Und genau aus diesem Grund weigerte sie sich auch an jenem Vormittag im Rathaus zu akzeptieren, dass es keine andere Lösung gab, als zwei Jahre lang darauf zu warten, bis wir einen Antrag auf Erteilung der österreichischen Staatsbürgerschaft stellen konnten. Was sollten wir in der Zwischenzeit tun? Wieder zu Renate Hell zurückgehen und putzen?

Nur eine Woche nach ihrem Besuch klopfte sie daher neuerlich an die Tür von Frau Dudaschek. Als sie das Büro der Sachbearbeiterin betrat, wurde sie mit den streng-belustigten Worten »Sie schon wieder!« empfangen. »Ich habe Ihnen bereits gesagt, es gibt nichts, was ich für Sie tun kann. Bis in zwei Jahren! Auf Wiedersehen!«, wiederholte Frau Dudaschek ihre letztwöchige Feststellung.

Meine Mutter ließ sich nicht entmutigen und versuchte es ein paar Wochen später erneut – vergebens: Wieder derselbe freche Haarschnitt und wieder dieselbe Antwort: »Zwei Jahre!« Nach dem vierten Versuch hatte schließlich auch meine sture Mutter eingesehen, dass sie mit dieser Methode nicht weit kommen würde.

Da ihr nichts Besseres einfiel, entschloss sie sich kurzerhand dazu, einfach direkt das österreichische Innenministerium zu kontaktieren: Entschieden suchte sie im Internet nach der Homepage und wählte die erste Telefonnummer an, die sie dort vorfand. Sie war bereit zu streiten.

Von ihren österreichischen Freunden hatte sie gelernt, in solchen Situationen zwei Dinge zu behaupten: erstens, Bekannte bei der *Kronen Zeitung* zu haben, und zweitens, rechtsschutzversichert zu sein. Beides stimmte nicht. Als nach einer gefühlten Ewigkeit in der Warteschleife schließlich jemand abhob, schilderte sie umgehend ihre Situation: »Wie kann es sein, dass irgendwelche Fußballer die Staatsbürgerschaft geschenkt bekommen, und wir nicht, obwohl wir seit acht Jahren hier leben und arbeiten?« In den vergangenen Monaten hatte man in den Tageszeitungen immer wieder von berühmten Sportlern gelesen, welche die österreichische Staatsbürgerschaft ehrenhalber verliehen bekommen hatten. »Reicht es in Österreich nicht, dass man etwas im Kopf hat?«, beendete sie ihr Plädoyer. Sie war schon bereit, ihre beiden Asse im Ärmel (*Kronen Zeitung*, Rechtsschutzversicherung) nachzuschießen, doch nach einer kurzen Pause auf der anderen Seite der Leitung stellte sich heraus, dass dafür keine Notwendigkeit bestand. Der Mitarbeiter fing an zu lachen: »Selbstverständlich reicht das!«

Im Staatsbürgerschaftsgesetz versteckte sich ein kleiner und unscheinbarer Tatbestand, wonach einem Antragsteller die österreichische Staatsbürgerschaft ausnahmsweise *vor* Ablauf von zehn Jahren verliehen werden durfte, sofern er beweisen konnte, eine Art von besonderer Integrationsleistung erbracht zu haben. Der Mitarbeiter im Ministerium empfahl meiner Mutter, auf dieser Grundlage zu versuchen, einen Antrag zu stellen. Laut den Informationen, die ihm meine Mutter am Telefon gegeben hatte, schienen wir ja gut integriert.

Als meine Mutter am nächsten Tag ihren schon zur Routine gewordenen Besuch im Rathaus abstattete, begrüßte Frau Dudaschek sie mit dem üblichen: »Sie schon wieder!« Doch diesmal ließ sich meine Mutter von ihrer abwinkenden Geste nicht abwimmeln. »Ich möchte die österreichische Staatsbürgerschaft beantragen!«, wiederholte sie. Noch bevor Frau Dudaschek in den immer gleichen Dialog einsteigen konnte, schoss meine Mutter nach: »Ich habe das Innenministerium angerufen!« Daraufhin verstummte Frau Dudaschek.

Mein einziges Heimatland?

»Ich habe gemeinsam mit meinem Mann und meiner Tochter vor nunmehr fast acht Jahren meinen ständigen Wohnsitz in Österreich. Meine Tochter war i~~n~~m Kindergarten in Wr. Neustadt und besucht ~~der Z~~ derzeit das Gymnasium, ich bin in einem Pharmaunternehmen mit Sitz in Wien beschäftigt und glaube, daß ich ~~auf G~~ aufgrund meiner Ausbildung und meiner Tätigkeit der Allgemeinheit dienstbar und hilfreich sein kann.

Ich habe alle Verbindungen zu meiner ehemaligen Heimat abgebrochen und wäre es mir auch nicht möglich, dort hin zurück zu kähren –«

Meine Mutter und ich saßen gemeinsam am Esstisch im Wohnzimmer vor dem Stapel an Antragsformularen, den Frau Dudaschek ihr zum Ausfüllen mitgegeben hatte. Als ich ihr erklärte, dass man *zurückkehren* mit *e* schreibt und nicht mit *ä*, drückte sie mir den Bleistift in die Hand. »Napiši ti« (»Schreib' du«), sagte sie und kümmerte sich einstweilen um die anderen Formulare. Ich strich den letzten Teil durch und setzte fort:

»– und wäre es mir auch nicht möglich, dorthin zurückzukehren.

Ich bin in Wr. Neustadt sozial voll integriert, neben meiner beruflichen Tätigkeit pflege ich einen großen Freundes- und Bekanntenkreis.

Ich achte und respektiere die österreichische Verfassung und Rechtsordnung und bekenne mich gemeinsam mit meinem Mann aufgrund des jahrelangen Aufenthalts in Wr. Neustadt zur Republik Österreich.

Mein Mann und ich, insbesondere aber unsere Tochter, die seit dem Kindergarten ständig in Wr. Neustadt lebt, empfinden dieses Land bereits als unsere Heimat.«

Meine Mutter hatte die meisten Punkte auf ihrer Liste abgehakt und bereits den Großteil der erforderlichen Unterlagen gesammelt, die ihr Frau Dudaschek aufgetragen hatte: unsere Geburtsurkunden, den Mietvertrag für die Wohnung, ihre Heiratsurkunde, Strafregisterauszüge sowie mein Jahresabschlusszeugnis. Neben diesem Berg, der unser Leben auf ein paar dünnen Seiten Papier zusammenfasste, lag noch ein weiterer, kleinerer Stapel auf dem Esstisch. Während meine Mutter zum hundertsten Mal unsere Namen und Geburtsdaten in die kleinen Buchstabenfelder schrieb, zog ich den Stapel zu mir herüber und blätterte ihn durch.

Darin befanden sich Unterstützungserklärungen, die beweisen sollten, dass wir besonders gut integriert waren. Meine Eltern hatten in den vergangenen Wochen jeden Einzelnen ihrer österreichischen Bekannten gebeten, dessen Nachname mit einem »er« endete, eine Unterstützung für uns zu verfassen. Dazu hatte der

Mitarbeiter im Ministerium meiner Mutter geraten: Wenn wir beweisen konnten, dass genügend Österreicher an unserem weiteren Aufenthalt im Land interessiert seien, hätten wir nämlich die besten Chancen auf den Erhalt der Staatsbürgerschaft. »Bitten Sie am besten Ihre österreichischen Freunde um Unterstützungserklärungen! Sie sollen unbedingt auch mit ihren akademischen Titeln unterschreiben. Je mehr Titel, desto besser! Aber das wissen Ihre Freunde bestimmt ohnehin, wenn sie Österreicher sind.«

Diesen Ratschlag hatte sie besonders ernst genommen und sogar erreicht, dass ein renommierter Wiener Neustädter Rechtsanwalt einen Brief für uns verfasste – seine Tochter und ich waren im selben Schwimmverein. Nicht nur endete sein Nachname auf »-er«, er hatte obendrauf auch noch einen Doktortitel:

»Ich begrüße die Verleihung der österreichischen Staatsbürgerschaft an die Genannten, wobei meine Frau und ich diesen nur das beste Zeugnis ausstellen können. Aus verschiedenen Gesprächen und Diskussionen ist mir bekannt, dass Frau und Herr X positiv und bejahend zur Republik Österreich, deren Verfassung und deren Gesetzen eingestellt sind. Es gibt m. E. keinen Grund, der gegen eine Verleihung der Staatsbürgerschaft sprechen könnte. Ich stehe für Rückfragen gerne zur Verfügung.«

Auch Susanna und ihr Mann Roland hatten ohne zu zögern eine Unterstützungserklärung für uns geschrieben:

»Wir bewundern Familie X Fleiß und Einsatzbereitschaft und bringen ihnen hohes Vertrauen entgegen, das auch noch nie enttäuscht wurde. Wir waren von Anfang an begeistert, wie gut und schnell die Familie X Deutsch gelernt hat und wie sehr sie sich um korrekte Grammatik und gute Aussprache bemüht.

Durch ihr Verhalten haben Herr und Frau X und ihre Tochter demonstriert, dass sie die Verfassung und die Gesetze der Republik Österreich achten und unseren demokratischen Staat bejahen.

Wir wissen, dass Familie X um die Verleihung der österreichischen Staatsbürgerschaft angesucht hat. Wir unterstützen diesen Antrag, weil wir glauben, dass sie aufgrund ihrer beruflichen und sozialen Qualifikation eine Bereicherung für die österreichische Gesellschaft darstellt.«

Nachdem sie alles beisammenhatte, packte meine Mutter die Ausdrucke in eine Mappe und machte sich abermals auf den Weg ins Rathaus zu Frau Dudaschek. Widerwillig nahm sie die Dokumente entgegen, die ihr meine Mutter mit einem selbstzufriedenen Grinser in die Hand drückte. Sie blätterte sichtlich gelangweilt in den ausgefüllten Antragsformularen und Unterlagen, bis sie zu den Unterstützungserklärungen gelangte. Auf einmal machte sie große Augen: »Sie kennen den Herrn Rechtsanwalt Dr. Scheuber?«, fragte sie mit hörbarem Staunen in ihrer Stimme. Ihr Ton veränderte sich mit einem Schlag. Nachdem sie die Mappe durchgesehen und mit einem lauten »Plopp« zugeschlagen hatte, legte sie ihre manikürten Hände flach auf den Bürotisch und beugte sich etwas nach vorne: »So, alles da! Jetzt fehlt nur noch der Deutsch- und Sachkundenachweis! Wann wollen Sie mit dem Gatten kommen? Wir hätten in fünf Tagen einen Termin frei!«

Jede Person in Österreich darf nach ihrer Religion und Tradition leben. Die staatlichen Gesetze sind egal.

a) richtig b) falsch

Dass meine Eltern eine Prüfung ablegen mussten, hatte der Mitarbeiter aus dem Ministerium offenbar vergessen zu erwähnen. Dass meine Mutter diesen Deutschtest bestehen würde, darum machten wir uns keine Sorgen: Sie behielt zwar ihren Akzent und kämpfte bisweilen noch mit dem Dativ sowie den richtigen Artikeln[3]; abgesehen davon sprach sie aber mittlerweile fließend Deutsch und verstand bis auf Vorarlbergerisch so gut wie alles. Bei meinem Vater waren wir uns hingegen nicht ganz so sicher.

Dabei hing alles von ihm ab: Frau Dudaschek hatte meiner Mutter nämlich erklärt, dass sowohl sie als auch mein Vater den Deutsch- und Sachkundenachweis erfolgreich ablegen mussten: Sollte das nur *einem* von ihnen nicht gelingen, würde *keiner* von uns dreien die österreichische Staatsbürgerschaft erhalten. Mitgehangen, mitgefangen.

Als Prüfungstermin hatte Frau Dudaschek einen verregneten Tag Ende September anberaumt. Obwohl mein Nachweis mit meinem letzten Schulzeugnis als erbracht galt und ich somit aus dem Schneider war, wollte ich meine Eltern begleiten und bekam für den Tag sogar eine Freistellung von der Schule. Um 8 Uhr morgens mussten wir im Rathaus sein.

Als ich meinen Vater in der Früh im Wohnzimmer antraf, war sein glattes Gesicht mit kleinen blutigen Papierfetzen übersät. Er sah aus, als hätte er die ganze Nacht nicht geschlafen, seine Haut war so blass, dass ich dachte, er würde sich jeden Moment übergeben. Er schien mich nicht einmal zu bemerken. Meine Mutter stand mit dem Rücken zu mir und band ihm gerade eine große bunte Krawatte um den Hals, als sie mich mit ihrem gewohnten »Dobro jutro, mišiću« (»Guten Morgen, Mäuschen«) und einem warmen Blick über die Schulter begrüßte.

Auf dem Weg zum Rathaus verlor mein Vater kein Wort zu viel. Die Versuche meiner Mutter, ihm gut zuzureden, beantwortete er mit einem gedankenverlorenen »Mh«. Obwohl das Rathaus nicht

3 »Warum heißt es *das* Mädchen und nicht *die* Mädchen? Man sagt ja auch *der* Bub. Das ist doch sexistisch«, fragte sie mich immer.

weit von unserer Wohnung entfernt lag, schien er so beschäftigt damit zu sein, den richtigen Weg zu finden, als wären wir zum ersten Mal in Wiener Neustadt unterwegs. Nachdem wir einen freien Abstellplatz gefunden und er das Auto ungefähr zehn Minuten lang nach vorne und hinten manövriert hatte, bis die ideale Parkposition gefunden war, stellte er den Motor endlich ab. Für einen kurzen Moment war es ganz still. »Neka nam Bog pomogne« (»Möge uns Gott helfen«), murmelte er schließlich und sah mir dabei zum ersten Mal in die Augen. Sein Blick glich dem von Schlachtkälbern, die Tierschutzorganisationen auf Poster druckten, um zum Verzicht auf Fleischkonsum aufzurufen.

Im Rathaus roch es nach Linoleum, Staub und Schweiß. Während meine Mutter und ich auf zwei Plastikstühlen warteten, aufgerufen zu werden, spazierte mein Vater den dunklen Gang auf und ab und wischte sich alle paar Minuten mit einem zerknüllten Taschentuch über seine Glatze. Auf seinem hellblauen Hemd hatten sich mittlerweile zwei große dunkle Kreise im Achselbereich gebildet. Bis auf ein paar gelegentliche Kommentare über die Einrichtung tauschten auch meine Mutter und ich nur wenige Sätze aus.

Ich versuchte die Wartezeit totzuschlagen, indem ich in meinem Kopf alles vorlas, was sich in meinem Blickfeld befand: »Abteilung für Staatsbürgerschaft und Wahlen«, »Parteienverkehr: 08:00 Uhr bis 12:00 Uhr«, »Bitte in Zimmerlautstärke sprechen!«, »Mag. Karin Dudaschek«. Ich fragte mich gerade, was für ein seltsamer Name »Dudaschek« eigentlich war, als die Tür neben dem Namensschild plötzlich aufging: »Familie X, bitte«, brüllte eine schrille Stimme. Wie von einem elektrischen Schlag getroffen sprangen wir von unseren Stühlen auf und reihten uns wie aufgefädelt hintereinander vor der Tür ein. »So! Alle da! Sehr gut!«, schrie uns Frau Dudaschek deutlich über Zimmerlautstärke ins

Gesicht. »So! Sie bleiben jetzt bei mir«, deutete sie meiner Mutter, »und Sie beide können draußen warten«, wies sie meinen Vater und mich an. »Ist die Prüfung getrennt?«, schreckte meine Mutter auf. »Mhm!«, rief Frau Dudaschek, während sie irgendwelche Zettel aus ihrer Schublade holte. Ich sah noch, wie meine Eltern einander entgeisterte Blicke zuwarfen, bevor im nächsten Moment mein Vater und ich schon wieder auf dem dunklen Gang draußen waren. Die Tür zu meiner Mutter und Frau Dudaschek ging zu.

Alarmiert suchte ich den Augenkontakt zu meinem Vater, doch er hatte sich bereits von mir abgewandt. Er ging jetzt noch schneller den Gang auf und ab. Die dunklen Flecken unter seinen Achseln hatten sich inzwischen auf seinen Rücken ausgeweitet. Hätte er mehr Haare am Kopf gehabt, wären sie mittlerweile vermutlich zerzaust und schweißnass gewesen. Da ich nicht wusste, was ich sonst tun sollte, setzte ich mich wieder auf den Plastikstuhl und versuchte die Sekunden zu zählen, während ich auf den Linoleumboden starrte.

Nach ungefähr fünfzehn Minuten schwang die Tür abermals auf. Meine Mutter stand allein im Rahmen und winkte meinen Vater zu sich. »Ti to možeš« (»Das schaffst du«), redete sie flüsternd auf ihn ein, während sie ihn an seinem Ärmel packte und näher zog. Ich konnte noch kurz sein Gesicht sehen, bevor er hinter der Tür verschwand. Er sah aus wie ein Geist.

Meine Mutter setzte sich neben mich und nahm meine Hand in ihre. »Kako je bilo?« (»Wie war es?«), fragte ich sie schließlich. »Bilo je ok« (»Es war okay«), fing sie an. »Pitala me je ko je predsednik Austrije, kako se zovu glavni gradovi, kako funkcioniše demokratija« (»Sie hat mich gefragt, wie der österreichische Präsident heißt, wie die Hauptstädte der Bundesländer lauten, wie eine Demokratie funktioniert«), zählte sie ein paar der Fragen auf.

Ich nickte und legte meinen Kopf in die Hände. »Misliš da će tata uspeti?« (»Glaubst du, wird es Papa schaffen?«), rang ich mich schließlich durch. »Nadam se« (»Ich hoffe es«), antwortete sie leise.

Die nächsten fünfzehn Minuten fühlten sich an wie drei Stunden. Obwohl die Tür zu Frau Dudascheks Büro aussah, als könnte sie sogar ein Kind problemlos eintreten, drang kein einziger Ton durch. Wir hatten keine Ahnung, was auf der anderen Seite passierte.

Uns blieb nichts anderes übrig, als zu hoffen und zu beten. Blöderweise hatte mir das nie jemand beigebracht – bis auf Renate Hell, aber da ging es um Schnitzel –, drum improvisierte ich: »Molim te, Bože, daj da tata uspe i da ostanemo u Austriji.« (»Lieber Gott, bitte mach, dass mein Vater die Prüfung schafft und wir in Österreich bleiben können.«) Das schien mir gut genug, und ich wiederholte den Satz so lange in meinem Kopf, bis die Worte anfingen, wie eine seltsame außerirdische Sprache zu klingen. Plötzlich riss mich jedoch ein lautes Lachen aus meinem wiedergefundenen opportunistischen Glauben.

Als ich vom Linoleumboden aufblickte, sah ich meinen Vater neben Frau Dudaschek stehen und leise kichern. »Vorhin haben Sie mir noch gesagt, er spricht nicht so gut Deutsch, aber er weiß ja mehr als Sie!«, lachte Frau Dudaschek und zeigte mit dem Finger auf meine Mutter, »so ein großes Allgemeinwissen! Toll! Und so charmant!« Sie klopfte meinem Vater noch auf die Schulter, bevor sie uns gratulierte und sich wieder in ihr Büro verabschiedete.

Ich verstehe bis heute nicht so ganz, was hinter dieser Tür passiert ist. Ich glaube, meiner Mutter ging es damals ähnlich, denn ihr Gesichtsausdruck spiegelte auch meine Irritation wider. Das dürfte auch meinem Vater aufgefallen sein, denn auf dem Weg nach draußen fragte er meine Mutter, warum sie schaute »kao tele u šarena vrata« (»wie ein Kalb, das auf eine bunte Tür starrt«).[4]

Mein einziges Heimatland!

Bloß einen Monat später fand meine Mutter einen Brief im Postkasten: »Liebe Frau! [sic!] Wir haben folgende Angelegenheit, an der Sie beteiligt sind, zu bearbeiten: Verleihung der österr. Staatsbürgerschaft! Wir ersuchen Sie, hiezu [sic!] persönlich in unser Amt zu kommen. 2. Stock, Zimmer 202. Mit freundlichen Grüßen, Der Bürgermeister.«

Den Verleihungsbescheid inklusive eigenhändiger Unterschrift des niederösterreichischen Landeshauptmanns, Dr. Erwin Pröll, hatten wir bereits ein paar Wochen zuvor erhalten. Nun stand nur noch die feierliche Überreichung der Staatsbürgerschaftsurkunde im Rathaus an.

Auch für diesen Tag erhielt ich eine Freistellung von der Schule. Ich entschied mich für den grauen Blazer, den mir meine Mutter für besondere Anlässe bei *H&M* gekauft hatte. Mein Vater hatte dasselbe Hemd wie beim Deutschtest an (die Schweißflecken waren mittlerweile herausgewaschen) sowie ein Sakko, das er offensichtlich zuvor in Eau de Cologne eingelegt hatte. Meine Mutter trug ein »kombinezon«, also einen grauen Rock samt dazu passender Weste, die mit kleinen Edelweißmotiven bestickt war und mit Holzknöpfen, die aussahen wie Miniatursprossen eines Hirschgeweihs – ein Geschenk, das ihr Renate Hell während einer

4 Diese Redewendung wird vor allem verwendet, um einen verdutzten Blick zu beschreiben, vergleichbar mit »dastehen wie der Ochs vorm Berg«.

ihrer vielen sommerlichen Ausmisttage gemacht hatte. Wie ein verlorengegangener Teil eines Hochzeitsumzugs marschierten wir so mit einer dicken Parfümspur hinter uns zum Rathaus.

Die Verleihungszeremonie verlief recht unspektakulär (wobei ich auch nicht weiß, was ich mir anderes erwartet hatte): Wir schüttelten die Hände von Beamten, die ein müdes Lächeln für uns aufgesetzt hatten, und bekamen eine dunkelrote samtene Mappe mit dem goldenen Wappenadler überreicht. In diesem dünnen Mäppchen war also der Schlüssel zu unserem Glück. Wir waren nun Österreicher.

Nach nur fünf Minuten war das Ganze auch schon wieder vorüber, und wir fanden uns auf dem Hauptplatz wieder. Es war November, es nieselte, und die ganze Stadt stand in dickem Nebel. Das hielt meinen Vater nicht davon ab, einen grimmig dreinblickenden Passanten zu bitten, noch schnell ein Foto von uns vor dem Rathaus zu machen. Widerwillig legte der ältere Mann seine Einkaufstaschen auf dem nassen Asphalt ab und schoss das Foto. Wir strahlten übers ganze Gesicht.

Zur Feier des Tages gingen wir noch »kao pravi austrijanci« (»wie echte Österreicher«) ins Café Bernhard am Hauptplatz – hier trafen sich die feinen Leute Wiener Neustadts zu Kaffee und Kuchen. Da es gerade mal 9 Uhr morgens war, blieben wir allerdings bis auf ein paar ältere Herrschaften die einzigen feinen Leute hier. Mein Vater und ich bestellten eine große Tasse heiße Schokolade und meine Mutter einen Cappuccino mit Schlagobers.

Was hat uns Österreich gekostet? Meinen Vater seine Stimme, meine Mutter ihre Lebendigkeit. Und mich?
Meinen Vater.

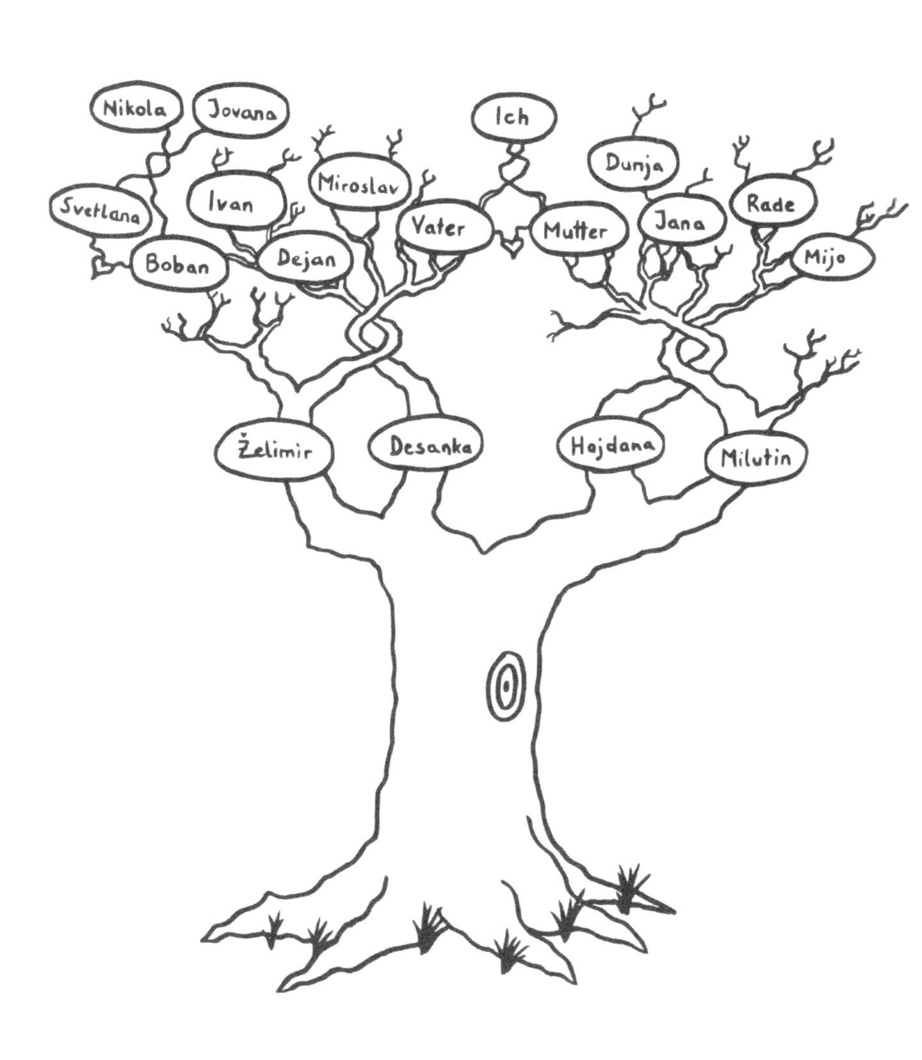
Nikola
Jovana
Ich
Dunja
Svetlana
Ivan
Miroslav
Rade
Vater
Mutter
Jana
Boban
Dejan
Mijo
Želimir
Desanka
Hajdana
Milutin

DANK

Dass dieses Buch entstehen konnte, verdanke ich einer Reihe von Menschen. Allen voran möchte ich mich bei Hanser und Zsolnay für ihr Vertrauen bedanken und für die Möglichkeit, einen Traum in Erfüllung gehen zu lassen. Hier gebührt mein größter Dank Bettina Wörgötter, die dieses Buchprojekt nicht nur vom ersten Bullet Point bis zum letzten Punkt mit äußerster Geduld begleitet und lektoriert, sondern auch immer im richtigen Moment eine feinfühlige Balance zwischen bestärkenden Worten und einer liebevollen Strenge gefunden hat. Auch bei Astrid Saller möchte ich mich besonders bedanken, die von Beginn an daran geglaubt hat, dass aus dieser Idee ein Buch werden kann.

Ohne meine Eltern und Familie wäre nicht einmal die Idee für dieses Buch entstanden. Dass ich einen Teil ihres und unseres gemeinsamen Lebens verwenden durfte, ändert natürlich nichts daran, dass diese Erzählung mein subjektives Empfinden bleibt. Jede zwischenmenschliche Beziehung besteht aus zumindest zwei Seiten und birgt somit auch zumindest zwei Wahrheiten.

Meinen Eltern werde ich für immer dankbar bleiben für ihre in Worten nicht fassbare Liebe, auch in jenen Momenten, in denen ich mich nicht liebenswürdig fühle, für die wertvollen Weisheiten, die sie mir jeden Tag mitgeben, für ihre Geduld und Ausdauer und für das Leben, das sie mir ermöglicht haben. Ohne ihre Stärke, ihren Mut und ihre Opfer könnte ich nicht daran arbeiten, der Mensch zu werden, der ich sein möchte.

Von ganzem Herzen möchte ich mich auch bei Muhassad Al-Ani bedanken, der nicht nur das Coverfoto geschossen und mit mir auf der Suche nach dem perfekten ausgestopften Lamm durch halb Österreich gefahren ist (tatsächlich ist es gar nicht so einfach, ein ausgestopftes Lamm zu finden, bei Gerhard Blabensteiner sind wir schließlich fündig geworden), sondern auch unzählige Stunden damit verbracht hat, mich bei der Erarbeitung des Konzepts für dieses Buch zu unterstützen, sei es mit seinen klugen Gedanken oder, dass er wie ein guter Therapeut die richtigen Fragen im richtigen Augenblick gestellt hat. Wie ein guter Therapeut hat er mich auch durch unzählige Nervenzusammenbrüche getragen und mit den weltbesten Pep Talks aufgemuntert.

Mein größter Dank gebührt außerdem Irena Ilić, Lionel Koller, Stefanie Sargnagel und Alexandra Stanić, die sich die Zeit genommen haben, das Manuskript sorgfältig zu lesen und mir ihre wertvolle Kritik und Ideen geschenkt haben. Bei allen anderen Menschen in meinem Leben möchte ich mich nicht zuletzt dafür bedanken, dass sie mich insbesondere während der letzten Monate emotional unterstützt und ausgehalten haben.